ANTONIO LÓPEZ DE SANTA ANNA

ANTONIO LÓPEZ DE SANTA ANNA

por Renato Blumenberg

Grupo Editorial Tomo, S.A. de C.V.
Nicolás San Juan 1043
03100 México, D.F.

1a. edición, marzo 2003.

Nicolás San Juan 1043, Col. Del Valle
03100 México, D.F.
Tels. 5575-6615, 5575-8701 y 5575-0186
Fax. 5575-6695
http://www.grupotomo.com.mx
ISBN: 970-666-702-4
Miembro de la Cámara Nacional
de la Industria Editorial No 2961

Proyecto: Renato Blumenberg
Diseño de Portada: Trilce Romero
Formación Tipográfica: Servicios Editoriales Aguirre, S.C.
Supervisor de producción: Leonardo Figueroa

Impreso en México - *Printed in Mexico*

Contenido

Prólogo 7
1. Los orígenes 9
2. El cadete Antonio López de Santa Anna 11
3. Una vocación guerrera 17
4. La construcción del nuevo orden 23
5. La configuración del *hombre fuerte* 27
6. Guerra y astucia 35
7. El benemérito de la patria 51
8. La presidencia virtual 59
9. El dictador prisionero 61
10. La guerra de Texas 71
11. San Antonio de Béxar 77
12. San Felipe 85
13. En Washington 97
14. El regreso 101
15. La guerra de los pasteles 105
16. La dictadura 111
17. La guerra con Estados Unidos 117
18. El exilio 127
19. El largo ocaso 131

Prólogo

La lectura de esta biografía no puede ser solamente un acto de placer intelectual o simple adquisición de cultura; lo que aquí se presenta es más que la reseña de la vida de un hombre, es el retrato de una época fundamental en la formación de la nación mexicana; al correr estas páginas uno percibe la trascendencia de todo lo que ocurrió en este periodo, y así se pueden generar ideas y sentimientos disímbolos y hasta contradictorios, pues por un lado podemos tener la sublime ensoñación del heroísmo, y por otro lado no podemos evitar ese regusto amargo que nos deja la objetividad histórica, porque éste no es un libro de aventuras o de análisis filosófico; éste es un libro objetivamente descarnado en el que las personas y los hechos se presentan tal como fueron, sin ese maquillaje del romanticismo que se imprime en la observación de nuestra historia que hemos recibido por educación, por ingenuidad o por ganas de hacer de nuestra historia personal y social algo bello y sin lastimosos contrastes, como la fotografía del cumpleaños del abuelo.

Cuando echamos una ojeada sin prejuicios por la infancia de nuestra patria podemos sentir varias cosas, pero una de ellas, en especial, es la percepción de que muchos de los personajes que participaron en la estructuración de nuestra sociedad en realidad se comportaban como niños, a veces como niños tiernos y soñadores, y a veces como *enfants terribles*, como seres perversos.

Muchos mueren en batalla y por eso son héroes; pero muchos se salvan en las batallas y son los que, casi sin quererlo, sucumben a la dulce ignominia del poder y se convierten en villanos.

Esta es la historia de uno de esos niños monstruosos, de uno de esos seres que clínicamente se tipifican como "sociópatas", y que en nuestro lenguaje coloquial son los "vivos" o los "abusados", como decimos en México, que son los de pensamiento *aguzado*, los *vivillos*, los astutos.

En el "vivo" se manifiesta un cierto tipo de inteligencia extraordinariamente eficaz, pero de índole inferior, pues en la pequeñez de la mente del "abusado" no se manejan pensamientos abstractos, paradigmas filosóficos ni valores morales.

Don Antonio de Padua María Severino López de Santa Anna fue un gran "vivillo" en un mundo de "vivos"; un sociópata entre sociópatas, un *enfant terrible* como Napoleón o Alejandro, un "abusado" sin frenos ni límites.

Esta es la historia de un hombre que tuvo una vida intensa, no podemos decir que más allá de lo común, pues eso sería decir muy poco, la vida de Antonio López de Santa Anna fue extraordinariamente intensa, y por ello resulta apasionante; pocos personajes en la historia del mundo han vivido tantas aventuras durante tanto tiempo, pues don Antonio murió de viejo y en su cama, como debe morir un vivo.

Roberto Mares

1

Los orígenes

La familia Santa Anna llegó la Nueva España a principios del siglo XVIII, probablemente procedentes de España, particularmente de la Región de Orense, donde es común el apellido; sin embargo, la ortografía del propio apellido denota un posible origen portugués. El primer Santa Anna de quien se tienen noticias es don Antonio López de Santa Anna, quien fuera abuelo del que llegaría a la presidencia de México.

Una hipótesis interesante respecto del origen de la familia Santa Anna es que en 1619, el rey Felipe III, de Portugal, firmó un decreto de expulsión de los gitanos que viviesen en sus dominios, a no ser que se convirtieran sinceramente al catolicismo y abandonaran sus costumbres, sus vestimentas y sobre todo su lengua, el *romanch*. Los gitanos que decidieron quedarse, ya fuera en Portugal, o en España, donde se seguía la misma norma, adoptaron como apellidos los nombres de santos; tal sería el caso de la familia Santa Anna, de posible filiación gitano-portuguesa, aunque muy probablemente de procedencia española, ya que de otra manera no hubiesen emigrado a la Nueva España.

Tanto el abuelo como el padre, también Antonio López de Santa Anna, eran propietarios de una notaría en el puerto de Veracruz, pero el futuro presidente nació en la ciudad de Jalapa, siendo sus padres el ya citado don Antonio y doña Manuela Pérez Lebrón. El niño fue bautizado como Antonio de Padua María Severino López de Santa Anna, el 21 de febrero de 1794.

El padre de Antonio ejercía la abogacía en la ciudad de Jalapa, pero a la muerte de su hermano Ángel, la familia se trasladó al puerto para asumir la notaría, por lo que fue precisamente en el puerto donde Antonio pasó los primeros años de su vida, lo que seguramente fue muy estimulante para él, pues en aquellos tiempos Veracruz era el primer puerto de la Nueva España y un centro comercial de gran importancia, lo que daba una fisonomía particular a esa ciudad, llena de comerciantes, inmigrantes y arribistas de todas clases, pues la ciudad era campo fértil para los negocios y la aventura, más que para el trabajo responsable y productivo. En aquellos tiempos, Veracruz era una de las zonas más atrasadas del país en lo referente a agricultura, cosa que pareciera extraña, teniendo un ecosistema propicio para el cultivo; pero resultaba más atractivo el dinero fácil, producto del comercio que el arduo trabajo del campo. El ambiente social festivo, desprejuiciado, y escasamente comprometido con la ética del trabajo, seguramente influyó en el desarrollo de la personalidad del joven Santa Anna.

2

El cadete Antonio López de Santa Anna

En aquellos tiempos, en Veracruz no había más que dos actividades a las que se podía incorporar un joven: la milicia o el comercio. Como es natural, la mayoría de los jóvenes prefería la carrera militar, por ser mucho más estimulante que el sórdido comercio; especialmente con el desarrollo militar promovido por el virrey Iturrigaray en la región, en previsión de ataques al puerto, que era la puerta de entrada a la Nueva España. Así que el joven Antonio, a la edad de catorce años, quiso ingresar al ejército colonial, lo que provocó un conflicto con su padre, quien deseaba destinarlo al comercio. Doña Manuela, su madre, convencida de que su hijo no tenía el carácter para renunciar a su decisión y con ello seguirían los problemas con el padre, prefirió aliarse a él y propiciar su empeño. Teniendo ella una buena amistad con el intendente García Dávila y con el comandante de la plaza, José Cos, logró que ellos convencieran a don Antonio de que permitiera al hijo ingresar en la carrera de las armas, y, obteniendo su anuencia, lo incorporaron como cadete, lo que era una distinción concedida a los hijos de las familias distinguidas del puerto.

Muy pronto habría de tener ocasión el joven Santa Anna de tomar parte en acciones de guerra, pues apenas unos meses después de su ingreso al ejército estalló la revolu-

Miguel Hidalgo y Costilla encabezó la revolución independentista.

ción independentista, encabezada por don Miguel Hidalgo, lo que fue muy estimulante para el joven cadete y bien reafirmó la certidumbre de que su decisión había sido acertada, como más tarde expresaría en sus memorias:

> *Desde mis primeros años, inclinado a la gloriosa carrera de las armas, sentía por ella una verdadera vocación. Conseguí el beneplácito de mis padres y senté plaza de caballero cadete en el Regimiento de Infantería fijo en Veracruz, el nueve de*

junio de mil ochocientos diez, previas las pruebas de hidalguía indispensables entonces. A los catorce años pertenecía al ejército Real de la Nueva España.

A principios del siglo XIX, las guerras napoleónicas habían causado serios trastornos económicos y políticos en las colonias americanas; especialmente en México, como principal bastión de España en América, se perciben los desajustes del sistema político colonial y se abre la puerta para los anhelos de emancipación de las clases oprimidas, y sobre todo para los deseos de mayor participación política por parte de los criollos, de quienes, por lo menos en los primeros tiempos, difícilmente podría pensarse una verdadera intención independentista, sino solamente una lucha de reforma en contra del autoritarismo colonial y la segregación de quienes ya eran, por nacimiento y condición, mexicanos.

El autoritarismo del Estado se dejaba sentir en todos los ámbitos de la vida social; el régimen virreinal tenía bajo su férula toda la vida económica del territorio dominado, además de intervenir en las formaciones sociales e ideológicas por medio de la Iglesia.

La rebelión de los criollos tenía como principal intención el limitar el poder absolutista del Estado colonial, recrudecido en los últimos tiempos por el debilitamiento del poder metropolitano. En esas condiciones, la monarquía propiamente dicha resultaba un tema secundario, y por ello lo mismo se pensaba en Fernando VII que en cualquier otro monarca, mientras que lograra liberalizar el gobierno colonial y se propiciara la participación de los criollos, como nueva clase social, particularmente poderosa en lo económico, pero sumamente débil en lo político.

Fue por estos motivos que los grandes propietarios se unieron a la rebelión de 1810, viendo la posibilidad de emanciparse de la dirección económica que les imponía el virreinato, que controlaba en gran medida tanto la producción como la distribución de los productos agrícolas, dejando un escaso margen de acción para los antiguos encomenderos, convertidos en poseedores de grandes extensiones de tierra, pero en su mayoría improductivas, a causa del monopolio comercial que ejercía el gobierno colonial.

Los productores pequeños y medianos se encontraban al margen de la estructura económica que oprimía a los grandes y por tanto no veían en el movimiento revolucionario una alternativa real de cambio que pudiera beneficiarlos; por ello, los campesinos independientes no tomaron parte en la lucha de 1810, y no fue sino hasta después de consumada la independencia que participaron en las luchas nacionales, aunque entonces para defenderse de la amenaza de un nuevo orden económico que lesionaba sus intereses: la hacienda y el sistema de salarios.

En esta dinámica social participó el joven cadete Antonio López de Santa Anna, siendo una de sus primeras acciones lo que pareciera una señal de su destino, pues se le incorpora a la tripulación del bergantín *Regencia,* formando parte de una pequeña división que va a restablecer el orden en la lejana provincia de Texas, a donde había llegado el ímpetu independentista, encabezado por Bernardo Gutiérrez de Lara, quien, ante la escasa oposición armada de la región, había realizado rápidos progresos.

Para combatir a Gutiérrez de Lara, el gobierno colonial envió al coronel Joaquín Arredondo, al frente de quinientos hombres, quienes se embarcaron en el puerto de Veracruz el 13 de marzo de 1811, en el ya citado bergantín *Regencia,* además de las goletas *San Pablo* y *San Cayetano.* Esa sería la primera misión de Antonio, misma que resultó exitosa para las fuerzas realistas, culminando con una acción de guerra en la ciudad de Medina, el 18 de agosto de 1813, batalla en la que el cadete mostró tal valentía que le valió el ascenso al grado de subteniente y una mención honorífica.

Fernando VII.

Continuando bajo las órdenes del general Arredondo, Santa Anna participó en las acciones de represión en contra de los insurrectos en Tamaulipas, siendo herido en una mano en una de las batallas, aunque no de gravedad.

Más tarde entró a las órdenes del coronel Cayetano Quintero, participando en la campaña de la Sierra Gorda, cuyo desempeño le valió el grado de teniente, además de que fue destacado a la ciudad de México, al servicio directo del virrey Apodaca. Aparentemente, al joven teniente no le gustó la vida palaciega, por lo que pidió que se le destacara de nuevo en su tierra natal, Veracruz, a donde llegó el 8 de septiembre de 1816, designándosele el mando del destacamento de Boca del Río, como base para la campaña de represión de la insurgencia en la costa veracruzana, labor que Antonio realizó durante los siguientes cuatro años, sin que eso le representara mayor problema, pero tampoco más prestigio, pues las bandas rebeldes, desorganizadas y faltas de recursos, se disolvían con facilidad ante cualquier amenaza.

Pero si militarmente no obtuvo lucimiento durante esos cuatro años, sí se pusieron en evidencia sus cualidades políticas, pues en esa época fundó cuatro pueblos: Medellín, Jamapa, San Diego y Tamarindo, participando personalmente en el trazo de las calles, la disposición de las plazas, iglesias, mercados, escuelas y demás servicios, además de la disposición de los terrenos de cultivo, su distribución entre los colonos y las normas de producción y distribución de los productos, todo ello representaba la creación planificada de estructuras sociales completas, bajo nuevas normas y sin mayor acatamiento de las leyes y usos del gobierno colonial, por lo que al teniente realista se le identificaría más con el movimiento independentista que con el realista.

3

Una vocación guerrera

En efecto, en 1820, Santa Anna se puso en contacto con los conspiradores de la ciudad de México, asegurándoles que él estaría dispuesto a apoyarlos con sus fuerzas, y a su mandato proclamaría la independencia en la provincia de Veracruz.

El teniente Santa Anna fue llamado a las armas por la causa de la independencia, y se presentó el 29 de marzo de 1821 ante el general José Joaquín Herrera, en la ciudad de Orizaba, para ponerse a sus órdenes. Dándosele el grado de capitán, Santa Anna se puso al frente de las fuerzas del Fijo de Veracruz y de Lanceros, entrando en Córdoba el primero de abril del mismo año. En esa ciudad, se dividió el mando de las fuerzas, quedando Santa Anna comandante del territorio veracruzano, mientras que el general Herrera marcharía hacia Puebla, con objeto de tomar la ciudad y adueñarse de la provincia.

Ya al mando de las fuerzas rebeldes de Veracruz, Santa Anna marchó sobre Alvarado, sorprendiendo a la guarnición realista ocupando la plaza con cierta facilidad... viendo engrosadas sus filas por un buen número de soldados del rey, y creyendo que podía dar un golpe de audacia al puerto de Veracruz, tomó ese camino. Pero cuando se dirigía a Veracruz, recibió el aviso de Herrera de que estaba siendo atacado por el general Hevia, en Córdoba, y le pedía que acudiera en su auxilio.

Cuando llegó Santa Anna, al frente de trescientos infantes y doscientos cincuenta hombres de a caballo, el 17 de mayo, el general Herrera se encontraba en una situación angustiosa. Los insurgentes habían quedado encerrados dentro de un recinto fortificado, y dándose cuenta Santa Anna del peligro que corrían los sitiados, hizo subir un clarín a una loma vecina y mandó que se tocara "a degüello", lo que produjo una gran confusión entre los sitiadores, al mando del coronel Blas del Castillo Luna.

Después del alarmante toque de clarín, Santa Anna ordenó que se levantase una trinchera en la Loma de los Arrieros, y el 19 se dispuso a presentar combate a los realistas, pero éstos se retiraron a las posiciones que ocupaban anteriormente, no sólo por la presencia de las fuerzas de Santa Anna, sino por la concentración de otros grupos de insurgentes, con lo que el balance de fuerzas resultaba favorable para los rebeldes; así que el general Herrera trató de entrar en negociaciones con el coronel Castillo y Luna; pero antes que eso pudiera llevarse a cabo los realistas emprendieron la retirada, saliendo Santa Anna en su persecución, dándoles alcance en un pueblo llamado Corral de Ánimas, donde los combatió con tal fuerza que los soldados del rey huyeron en completa dispersión.

Con esos magníficos resultados, Santa Anna organizó una columna de mil hombres y marchó sobre Jalapa, defendida por el coronel Juan Obregoso, a quien también atacó con gran vigor, hasta que en la madrugada del 28 de mayo el defensor pidió parlamento, y ambos jefes tuvieron una conferencia, acordando firmar un convenio mediante el cual las tropas realistas evacuarían la plaza, entregando a los insurrectos todas sus armas y municiones, pero conservando banderas, cajas y papeles.

A las dos de la tarde, Santa Anna, quien a partir de ese momento era llamado "Comandante General de la División de Tierra Caliente", quedó dueño de la que fuese su ciudad natal veintisiete años antes.

Uno de los primeros actos de Santa Anna en Jalapa fue imponer un préstamo de ocho mil pesos, con el cual, y con el vestuario y armamento que había abandonado Obregoso, pudo organizar una magnífica división, que más tarde se convertiría en la onceava del Ejército Trigarante, y cuya primera campaña fue el marchar hacia Perote, cuya fortaleza era amenazada por las fuerzas enemigas.

Pero antes de partir hacia la fortaleza, y habiendo tenido noticias de que en las cercanías de Jalapa se ocultaba don Guadalupe Victoria, fue a su rescate. Años después, Santa Anna narró su impresión del encuentro con el que fuera el primer presidente de México:

> *...quedé petrificado al ver aquella figura sublimemente salvaje, armada de un robusto leño y resuelta, según parece, a vender cara su vida.*

Santa Anna reintegró a la vida social al viejo insurgente y lo llevó a la campaña de Perote, pero la campaña fue relativamente fallida, puesto que las fuerzas realistas pudieron apoderarse primero del fuerte, y ante esta situación, Santa Anna prefirió unirse a las fuerzas del general Herrera, a quien reforzó con armas y municiones de las que había tomado en Jalapa, a fin de que Herrera pudiese marchar sobre Puebla, mientras que él se lanzaría sobre el puerto de Veracruz, donde llegó el 30 de junio, día en que Santa Anna lanzó una arenga a los soldados de marina, en el deplorable tono declamatorio de un poeta veracruzano llamado José María Tornel, amigo y colaborador, quien llegaría a ser ministro del que sería el futuro presidente:

> *Marineros: abrid los ojos y conoced vuestros intereses: uníos a mí y seréis felices. La América os promete ríos de oro, de leche y de miel; un suelo fecundo, unas gentes dulces, de trato afable y benigno.*

A pesar —o tal vez a causa— de esta inspirada pieza oratoria, el Jefe de la División de Tierra Caliente no logró el apoyo de la marinería, y entonces prefirió invitar a la rendición por la vía de la amenaza; el gobernador de la plaza le contestó que estaba dispuesto a defenderse; respecto de esto, Santa Anna escribe en un parte fechado el 21 de julio de 1821, lo siguiente:

Me resolví a atacar la plaza, muriendo en la demanda. Arrastrando peligros y aprovechándome de la oscuridad de la noche, al son de copiosísimo aguacero, subí por la escala de los primeros y puse sobre un baluarte el pendón americano. Cinco horas poseí la plaza; en ella mandé como general, cavé como zapador; trepé como granadero, y me batí varias veces con sesenta de mis cazadores, como el primero de mis soldados.

Antes del asalto, Santa Anna mandó formar cincuenta escalas; después arengó a sus tropas y avanzó resuelto sobre el baluarte de San José, descuidando el ataque a los baluartes de San Fernando y Santiago, que encomendó a sus segundos, puesto que aparentemente eran más fáciles de ser tomados, pero aquellos tenían un gran dominio sobre la plaza.

En el parte que rindió a Iturbide, Santa Anna culpa a sus subalternos de no haber podido tomar el puerto de Veracruz; pero lo cierto es que la plaza estaba bien defendida, mientras que los asaltantes carecían de artillería, que era un elemento indispensable para la toma de los citados baluartes.

Ante el rechazo en Veracruz, Santa Anna se retiró a la tomada Orizaba, donde estableció su cuartel General y rehizo sus huestes, presentándose de nuevo frente al puerto en los últimos días de julio, y al estar en esa posición, el 30 de julio de 1821, entró al puerto el navío de guerra español *Asia*, trayendo a bordo al teniente general Juan O'Donojú, recién nombrado nuevo virrey de la Nueva España.

Informado O'Donojú de la situación de la colonia, una de sus primeras acciones al pisar tierra fue el enviar una carta a Santa Anna, invitándolo a una conferencia, la cual se llevó a cabo en la Alameda de Veracruz el 2 de agosto, y en ella Santa Anna sugirió al nuevo virrey que se pusiera en contacto con el primer jefe del ejército trigarante, quien se encontraba en las cercanías de Querétaro. O'Donojú accedió a ello, por lo que Santa Anna envió una misiva dirigida a Iturbide, dándole cuenta de lo hablado con el nuevo virrey.

Días después, Santa Anna recibió la respuesta, en la que se le ordenaba que escoltase a O'Donojú hasta Córdoba, a donde Iturbide se dirigiría para conferenciar con él. Obedeciendo la orden, Santa Anna formó una lucida escolta con sus mejores hombres, acompañando al virrey primero a Jalapa y después a Córdoba, a donde llegaron el 25 de agosto, casi al mismo tiempo que Iturbide, siendo precisamente en esa ciudad donde se firmaron los tratados por los cuales el virrey reconocía la independencia de México.

Al firmar dichos tratados, Iturbide y O'Donojú marcharon juntos con rumbo a la ciudad de México, mientras Santa Anna regresaba a Veracruz, para ponerse al frente de sus tropas, acantonadas frente a la ciudad, que seguía en posesión de las fuerzas realistas, a las órdenes del general García Dávila.

Durante dos meses se sostuvieron pláticas entre los dos jefes militares, hasta que, la noche del 26 de octubre, el general Dávila abandonó la plaza, por lo que a la mañana siguiente la División de Tierra Caliente entró triunfante en la plaza, noticia que fue recibida con júbilo en la ciudad de México, otorgando gran prestigio a quien ya se perfilaba como una de las más importantes figuras del proceso independentista.

4

La construcción del nuevo orden

Cuando México entró en la vida independiente, en 1821, el ambiente era de gran desconcierto político, además del caos económico, lo que mantenía a la nueva nación en un estado de zozobra.

En sus últimos esfuerzos por sobrevivir, el gobierno virreinal había echado mano de todos los recursos posibles, incluyendo los préstamos forzados. Los trabajos de las minas estaban suspendidos, y la agricultura paralizada, en gran parte por las dificultades en la distribución de los productos.

Uno de los primeros cambios del México independiente fue la sustitución del sistema tradicional de trabajo en el campo, basado en el servilismo heredado de las "encomiendas", por otro sistema fundamentado en el salario, lo que trajo consigo un reajuste total de la economía, apareciendo tres tipos de trabajadores del campo: el "peón de raya", el "peón de temporada", y el "sirviente fijo". Los grandes propietarios participaron activamente en los últimos tiempos de la lucha independentista, y más tarde en la reestructuración de la producción agrícola, libres ya del monopolio estatal que era el llamado "Real de Minas". Ya eliminado ese control económico, comenzó la lucha por la posesión de la tierra, en la que los grandes propietarios, tratando de aumentar sus posesiones, se lanzaron sobre los medianos y pequeños, lo que provocó grandes turbulencias sociales y la necesidad de ajustes políticos que evitaran, o al menos paliaran la voracidad de los terratenientes.

Las transformaciones en el sistema de producción y distribución agrícola prometían un desarrollo progresista; pero no así en lo que fuera el precario sistema industrial o de "obraje", como se llamaba en aquellos tiempos, en parte por la falta de créditos, de maquinaria y capacidad administrativa, y en parte por la recomposición de los trabajadores obreros, y la explotación a la que eran sometidos, como expresara Humboldt en el siguiente pasaje:

> *Hombres libres, indios y hombres de color, están confundidos con galeotes que la justicia distribuye en las fábricas para hacerlos trabajar a jornal; unos y otros están medio desnudos, cubiertos de andrajos, flacos y desfigurados. Cada taller parece más bien una oscura cárcel: las puertas, que son dobles, están constantemente cerradas, y no se permite a los trabajadores salir de la casa; los que son casados, sólo los domingos pueden ver a su familia. No se le cuenta su jornal más que a razón de real y medio o veinte sueldos torneses; en vez de pagárseles en dinero efectivo contante, se tiene buen cuidado de suministrarles la comida, el aguardiente y los vestidos, en cuyos precios gana el fabricante cincuenta o sesenta pesos menos.*

El régimen colonial había mantenido dos tipos de economía: uno estaba dentro del ámbito estatal: la burocracia, la milicia, al alto clero y los grandes propietarios; otro aspecto comprendía a los mestizos e indios. Los criollos pretendieron siempre regir su propia economía; aunque en su gran mayoría carentes de capital, su economía se había mantenido entre la superior del Estado y la inferior de las mayorías.

Al terminar el régimen colonial, la gran masa que había sido mantenida por los virreyes en una especie de subeconomía estatal, quedó incorporada a un modelo que pretendía ser nacional y que también pretendía incorporar a las grandes masas al trabajo productivo, a partir del salario y en vista de una futura economía de mercado que en ese momento, y dada la configuración de la población mexicana, no era más que una utopía.

Sin más fuerza que la que daba a México ese romántico despertar de la independencia, llegó al poder quien ya hubiera asumido el liderazgo desde el inicio del proceso de disolución del virreinato: Agustín de Iturbide, primero como regente de un gobierno que pretendía la unificación de intereses y cierto grado de democracia, pero transformándose rápidamente en dictador monárquico, para enfrentar las fuerzas que estaban en pugna desde el fin del gobierno colonial y que nadie parecía capaz de dominar, hasta que se fue creando la imagen de poder, asociada a Santa Anna.

Agustín de Iturbide.

5

La configuración del *hombre fuerte*

La amargura que dejaba el pasado y el entusiasmo que anunciaba el futuro era una poderosa fuerza que no podía encontrar sus vías de realización en un gobierno de nuevo imperialista, sólo la presencia de un personaje carismático e identificado como heroico podía servir de catalizador para que los elementos en pugna pudieran encontrar un cierto grado de unicidad y se produjera la reacción que diera lugar a una nueva nación.

El héroe no podía ser Iturbide, quien se había convertido en la reencarnación de un nuevo virrey, y tampoco podía ser alguno de los intelectuales ideólogos del movimiento independentista, pues no tenían capacidad de maniobra política. Faltaba el héroe valeroso y audaz, histriónico, cínico, desenvuelto, megalómano, capaz de seducir al pueblo; faltaba Antonio López de Santa Anna.

Al iniciarse el imperio de Iturbide, Santa Anna tenía el grado militar de brigadier y ocupaba el cargo de gobernador del puerto de Veracruz, lo que le daba una gran fuerza política, pues el control del puerto era una de las claves de la economía del país. Tal vez esta posición de privilegio animó al brigadier Santa Anna a elaborar su primer proyecto insurreccional: el llamado Plan de Casa Mata, en el que se desconocía el imperio de Iturbide, convocando a la lucha para derrocarlo y restablecer la República.

La sublevación del puerto de Veracruz, encabezada por

Vicente Guerrero se unió al movimiento armado y se dirigió al sur con sus hombres.

el brigadier Antonio López de Santa Anna, era la primera manifestación de la lucha entre la clase militar y la política. Los militares eran producto de la lucha revolucionaria, y en ese momento no constituían todavía una casta dominante; en su mayoría provenían de la gran población que vivía fuera de las ciudades y por tanto tendían a la descentralización y a la autonomía, sintiéndose más afines a las necesidades de las clases inferiores que a los proyectos de transformación social de los políticos liberales.

El imperio de Iturbide se presentaba como el baluarte de los grandes terratenientes, quienes, dentro de la nueva perspectiva de la hacienda, pretendían convertirse en el eje de la economía nacional y ser la fuerza principal del progreso, sosteniendo como máscara a un imperio de oropel que, por su propia condición monárquica, no fuese susceptible de cambio, ni estuviera sujeto al juego político.

Por otro lado estaban los comerciantes, los incipientes industriales y sobre todo los pequeños propietarios despojados y las grandes masas de desempleados, y eran éstas las fuerzas sociales en las que se apoyaba la rebelión de Veracruz, misma que tendía a extenderse por todo el país, especialmente cuando los generales Vicente Guerrero y Nicolás Bravo se unieron al movimiento, desplazándose con sus fuerzas al sur del país.

Para combatir el principal foco de insurrección, y sobre todo con el afán de recuperar el puerto, el emperador envió hacia Veracruz un destacamento de tres mil hombres al mando del general José Antonio Echávarri, poniendo a su disposición todos los elementos de guerra de que disponía, pero no así el dinero suficiente para mantener un ejército tan grande, por lo que los soldados no eran remunerados ni abastecidos adecuadamente, al grado de que padecían hambre y estaban sujetos a las inclemencias del tiempo.

En estas condiciones se estableció sitio a la ciudad de Veracruz, y durante casi dos meses permaneció el general Echávarri frente a los muros de la ciudad. El emperador ordenaba constantemente que se procediera al asalto, pero las tropas imperiales estaban minadas por el hambre, por el clima, por la propaganda de los sublevados y sobre todo por el hecho de no creer en la causa que defendían.

Esta condición moral de sus tropas la conocía el general Echávarri y sabía que una acción de guerra podría significar la pérdida de sus fuerzas, no por la acción del enemigo, sino por la defección de sus propios soldados. En estas circunstancias, el general Echávarri prefirió entrar en negociaciones con los alzados, pero prefirió dialogar con Guadalupe Victoria y no con Santa Anna. El resultado de estas negociaciones fue la unión de sitiadores y sitiados, con lo que se reforzaba el plan de Casa Mata, que a partir de ese momento se extendería por todo el país, ahora sin lucha, pues eran los propios militares los que tomaban el control político de todas las plazas importantes del país.

Agustín de Iturbide, presintiendo el fin de su imperio, se dispuso a entenderse con los sublevados, pero era tarde, pues el control político ya lo tenían los militares, incluyendo al general Echávarri, quien se había desplazado hacia Puebla, con gran preocupación tanto del emperador decadente como de los alzados Guadalupe Victoria y Santa Anna, quienes veían en Echávarri a un futuro dictador.

Por este motivo se decidió que Santa Anna marchara al mando de algunas tropas al centro del país. Con gran rapidez preparó el brigadier la columna expedicionaria, que debería situarse en San Luis Potosí, embarcándose en el puerto de Veracruz el 19 de marzo de 1823, en las goletas *San Cayetano* y *San Erasmo*, y en los bergantines *San Esteban* y *Minerva*.

Santa Anna, acompañado de su estado mayor, viajaba a bordo del *Minerva*, que arribó a Tampico entre el 24 y 25 de marzo. Pero Santa Anna no quiso desembarcar, en espera del otro bergantín y de las dos goletas, una de las cuales, la *San Cayetano*, había sufrido un percance y llegó cinco días después.

La columna expedicionaria tomó el camino de Horcasitas a San Luis el 9 de abril. Santa Anna, enfermo, viajaba en litera. Al recibirse la noticia en San Luis, el Ayuntamiento de la ciudad nombró comisiones para salir a recibir al brigadier a la hacienda de Peotillos. Ya en San Luis, Santa Anna fue recibido con cohetes y repiqueteo de las campanas de todas las iglesias; el ayuntamiento lo atendió en sesión solemne, y seguidamente asistió a una misa solemne dada en su honor.

Sin embargo, esa cordialidad no pudo zanjar la pugna que existía entre los soldados veracruzanos y los potosinos, tanto que llegó un momento en que dos regimientos se pusieron en estado de hostilidad, con independencia de los altos mandos, lo que obligó al Marqués del Jaral, quien era el comandante militar de la plaza a abandonarla a favor del general Santa Anna, quien se convirtió en comandante tanto de los potosinos como de los veracruzanos, a pesar de sus diferencias de adscripción y su evidente animadversión.

Precisamente para superar los sentimientos de hostilidad entre los soldados y propiciar un acercamiento con la sociedad potosina, Santa Anna organizó un banquete en el que se sentaron juntos soldados potosinos y veracruzanos. Los jefes de uno y otro ejércitos arengaron a los soldados e incluso lograron que se dieran un conciliador abrazo, pero a los abrazos siguieron las pedradas y salieron a relucir los cuchillos, por lo que se generalizó el zafarrancho y con gran dificultad se pudo lograr que unos y otros se volvieran a sus cuarteles.

Las hostilidades continuaron, más o menos controladas, hasta que se produjo un hecho que superó el conflicto doméstico, pues inesperadamente, el 5 de junio, el general Santa Anna hizo un movimiento que impresionó a todos: a las cinco de la tarde organizó a las tropas veracruzanas, ordenó que se diesen piedras de chispa y cartuchos a los soldados, y los dispuso en la plaza central de la ciudad, en formación de batalla, en estas circunstancias fue leída una proclama, en la que el general Santa Anna anunciaba que se había sublevado a favor de la República Federal. Inmediatamente después, Santa Anna despachó al comandante Argüelles para que leyera la misma proclama a los soldados potosinos y los invitara a secundar el movimiento. Pero las tropas de San Luis se negaron a participar en la sublevación y se parapetaron en las zonas altas, dispuestos a resistir el ataque de los veracruzanos.

El propio general Santa Anna se presentó ante los soldados potosinos, arengándolos para que aceptaran su causa, diciéndoles que su única finalidad era organizar en San

Luis un ejército protector del sistema federal, y apoyar la reestructuración de la República; pero nada pudo convencer a los soldados, y tampoco a los ciudadanos en general, quienes no ocultaban su aversión a los veracruzanos, a quienes consideraban invasores.

Ante este ambiente hostil, Santa Anna ordenó que sus fuerzas volvieran a sus cuarteles esa noche. A la mañana siguiente llamó a todos los jefes y oficiales de los cuerpos de guarnición, exhortándolos para que aceptasen su plan, y como los potosinos insistieran en rehusarse, les ordenó que abandonasen la ciudad, anunciándoles que a partir de ese momento adoptaba el título de *Protector de la Libertad de los Pueblos* y dedicaría toda su fuerza al apoyo del régimen republicano y federalista, de acuerdo a la proclama expedida.

Ante esto, el ayuntamiento y la diputación provincial se dirigieron al Poder Ejecutivo, pidiendo que el llamado "Protector" fuese llamado a la ciudad de México, y que el gobierno central librara a los potosinos de "la pesadilla jarocha". Esta petición fue respondida los primeros días de julio, señalando que el general Armijo llegaría a sustituir a Santa Anna como comandante de la plaza, y ordenando al Protector de la Libertad de los Pueblos que fuese a la capital a explicar los motivos de su proclama unilateral.

Santa Anna no esperó la llegada del general Armijo, y dejando al coronel Argüelles al mando de la plaza, se dirigió a la ciudad de México el 10 de julio de 1823.

Apenas llegó a la capital, el Ministerio de la Guerra ordenó su detención, para ser sometido a juicio militar por el delito de sublevación, al tiempo que se ordenaba el traslado de las fuerzas veracruzanas hacia Querétaro.

Vicente Guerrero y Guadalupe Victoria liberaron a Santa Anna de la prisión, aunque no de la causa que se le seguía, a la que se fueron agregando una serie de acusaciones provenientes de la gente de San Luis Potosí, donde había generado tantos rencores.

Mientras que el juicio era instruido por el general Joaquín Parrés, nuevos disturbios se registraban en diversas partes del país, hasta que la rebelión llegó incluso a la ciudad de México, donde el general José María Lobato se alzó en armas la noche del 23 de enero de 1824, expidiendo un plan y un manifiesto en el que se hacía aparecer la firma de Santa Anna.

Disgustado Santa Anna por el proceder de Lobato, mandó a su secretario, Tornel, para que se presentara en el cuartel general de los alzados y borrara su nombre del manifiesto, y acto seguido ofreció sus servicios ante el gobierno establecido para reprimir el alzamiento, lo que fue de inmediato aceptado en vista de la gravedad de la situación, entregándosele el mando del tercer regimiento de línea.

En tres días quedó sofocado el pronunciamiento de Lobato, con lo que Santa Anna recuperó su prestigio, dando al mismo tiempo muestra de su peligrosidad ante el débil gobierno, por lo que se aceleró su proceso y fue absuelto de todos los cargos; pero no solamente eso, sino que se validó su autonombramiento de Protector de la Libertad, pues el movimiento republicano federativo estaba a punto de obtener la sanción favorable por medio de la Asamblea Constituyente.

Así que el llamado Protector de la Libertad no solamente quedó exonerado, sino justificado y alabado, nombrándosele comandante general del Estado de Yucatán, lo que, por supuesto, era una prudente medida para tener al Protector lo más lejos posible.

6

Guerra y astucia

Santa Anna llegó a Campeche a bordo de la goleta de guerra *Iguala*, el 7 de mayo de 1824, dirigiendo de inmediato una comunicación al ayuntamiento campechano en el que daba a conocer: *... mi buena disposición a contribuir a los dulces objetos de seguridad pública y de justas libertades que deben hacer felices a todos los individuos de este heroico estado.*

Santa Anna desconocía por completo el territorio que pisaba, no solamente en el aspecto geográfico, sino sobre todo en lo referente a las costumbres, la economía, el arte, la configuración social y el estilo de hacer política de los yucatecos, lo que no era un defecto particular de Santa Anna, sino que era el caso de la mayoría de los políticos que surgieron de la independencia. En especial les eran ajenos territorios tan lejanos del centro como California, Texas, y sobre todo Yucatán. Los nuevos gobernantes habían heredado de la colonia un territorio muy vasto y escasamente poblado, pues en todo el país no había más de seis millones de habitantes. Muchos de los dirigentes de esos tiempos conocían el país más por las descripciones de Humboldt que por experiencia propia, por lo que la visión del territorio nacional era ciertamente teórica y estaba marcada por el romanticismo propio de quienes se encontraban de pronto ante la muy estimulante posibilidad, y la gran responsabilidad histórica, de crear una nación, por lo que entran en juego los grandes filósofos de la independencia de México, de entre los que podríamos citar como más importantes a Lucas Alamán, Lorenzo de Zavala y José María Luis Mora. Cada uno de estos pensadores elabora su evangelio político y, por supuesto, económico, buscando también al hombre fuerte que pudiera ser el ejecutor de las propuestas teóricas. Lorenzo de Zavala ve en Vicente Guerrero al hombre idóneo para dirigir al país; Lucas Alamán lo descubre en el general Anastasio Bustamante, y Mora se identifica con el general Manuel Mier y Terán.

Entonces se determinan tres programas de desarrollo social y económico: el de Zavala se funda en la agricultura como fuente de riqueza; el de Alamán en la modernidad, con base en el desarrollo de la industria, y el de José Ma. Luis Mora en la participación del Estado en la explotación de la tierra y el trabajo industrial.

Aglutinados por sus logias masónicas, los filósofos hacen su labor política y extienden sus brazos hacia el exterior, como apoyo fundamental para la estructura social que proponen. José Ma. Luis Mora, siendo exclérigo y de orientación conservadora, piensa que el principal motor del desarrollo habría de partir del capital nacional y la creación de una nueva clase burguesa; en cambio, Lorenzo de Zavala propone un modelo similar al de los Estados Unidos, buscando una alianza estratégica que pudiera favorecer la creación de un modelo también basado en el capitalismo, pero aceptando la inversión extranjera como aliciente para la producción y el crecimiento del mercado de consumo. Lucas Alamán prefiere abrirse al capital europeo, tal vez en previsión de la dependencia económica respecto de los vecinos del norte.

El proyecto de Alamán entusiasmó a los ingleses, quienes veían en México un terreno de inversión doblemente atractivo: por un lado asumir la riqueza que no había sido aprovechada por España, y por otro, recuperar su influencia en América, precisamente al lado de sus antiguas colonias.

Los británicos enviaron a varios negociadores poderosos y con la suficiente autoridad para tomar decisiones, siendo tanta la influencia que iba ganando Inglaterra en el proceso de formación de la República Mexicana, que el ministro norteamericano, Joel R. Poinsett, dirigió un mensaje a su gobierno en el que decía que era necesario *...crear un partido popular americano que se opusiera a los propósitos expansionistas de los ingleses.*

A partir de entonces se volvió evidente que los norteamericanos tenían gran interés en penetrar en la naciente república, y entonces se eligió como embajador al general Andrew Jackson, quien era allegado al presidente Monroe; pero Jackson rehusó el cargo aduciendo que: *El presente y desgraciado estado revolucionario en México, que oprime al pueblo en la lucha por su libertad y contra el emperador* (Agustín I), *a quien se le ha dado el epíteto de usurpador y tirano, me convence de que ningún ministro de los Estados Unidos puede, durante este periodo, hacer ningún tratado beneficioso para este país.*

Fue entonces cuando el gobierno norteamericano envió, en carácter de ministro a Joel R. Poinsett, hombre culto e inteligente, pero apasionado e intrigante.

De los tres grandes capitanes en los que se pensaba para dirigir al país, Guerrero era el más inculto; pero era al que más se reconocía como honesto y tenía arraigo popular. Bustamante, en cambio, era un militar de carrera dotado con gran autoridad y podría manejar a la clase burocrática que se había heredado de la colonia. Por su lado, Mier y Terán era un hombre culto y refinado, y representaba, por su origen y afinidad, a la poderosa facción de los criollos, quienes de hecho habían promovido la independencia.

Pero nadie había pensado en un cuarto capitán, que no necesariamente se identificaría con los proyectos filosóficos de creación de una nueva nación, pero sí tenía la capacidad, la megalomanía, el cinismo, la inteligencia y el don de mando para echar a andar cualquier proyecto, incluyendo al suyo propio; obviamente nos referimos a Antonio López de Santa Anna, a quien se había mandado a uno de los más remotos confines del país.

Aunque se trataba de una sola provincia, campechanos y yucatecos se encontraban divididos, disputándose tanto el poder económico como el político. El comercio de Yucatán se realizaba más con las Antillas que con el centro de México, mientras que el de Campeche era subsidiario del de Veracruz. En realidad, ambas regiones tenían sus propios gobernantes, aunque oficialmente pertenecían a la recién formada federación; el gobierno de Yucatán era ejercido de manera virtual por un grupo al que llamaban "La Camarilla", con Pedro J. Guzmán a la cabeza; y los campechanos se aglutinaban en torno a un partido llamado "La Liga", dirigida por Juan José de León.

Al llegar a Campeche, el general Santa Anna dirigió una nota al congreso de Mérida, dándole cuenta de su comisión, a la cual el congreso se apresuró a expresar su confianza en el nuevo comandante; pero simultáneamente, se emitió un decreto conforme al cual cualquier persona que tuviera un empleo en el gobierno federal, o que fuese miembro del ejército, no podía ocupar el gobierno del Estado.

La puesta en marcha de los "candados" políticos era

evidente; pero el nuevo comandante comenzó su estrategia de coqueteos tanto con los "ligados" como con los "camarilleros". Al dejar Campeche, los miembros de la Liga estaban convencidos de que el comandante sería su aliado en contra de los de la Camarilla. Al llegar a Mérida, los camarilleros también fueron seducidos por la personalidad de Santa Anna, quien llevaba instrucciones del Poder Ejecutivo Federal que se declarase explícitamente en guerra con España, de manera que se suspendiese el comercio con las posesiones españolas; pero como eso era desastroso para su economía, los políticos yucatecos enfocaron su actividad política en el sentido de evitar que tal disposición se cumpliera.

Presionado por el gobierno federal, el general Santa Anna, aunque aparentando su intención de servir a los yucatecos, hubo de insistir ante el Congreso del Estado para que éste procediera a hacer la declaratoria de guerra. Ante estas presiones, y no queriendo asumir las consecuencias de esa declaratoria, el gobernador del Estado, Francisco A. Terrazo, renunció al cargo; en esta coyuntura, el propio Santa Anna manejó sus cartas para ser nombrado en sustitución del renunciante, lo que logró, siendo nombrado gobernador el 5 de julio de 1824, a pesar del decreto que el mismo Congreso había emitido apenas cuarenta días antes.

Sin embargo, la orden de la declaratoria de guerra contra España seguía vigente, y Santa Anna estuvo posponiendo el asunto lo más que pudo; pero, finalmente tuvo que expedir dicha declaración, el 16 de noviembre, ante el descontento general, pues las consecuencias en la economía eran del todo negativas para los yucatecos.

Por supuesto, el gobierno de Santa Anna entró en crisis, y tal vez fue por ello que el general anunció un proyecto de campaña militar con objeto de conquistar la isla de Cuba y tomar la ciudad de La Habana, lo que seguramente resultaba atractivo para los yucatecos; pero tal iniciativa no tuvo mayores efectos, pues nadie podría creer en su viabilidad, dado el lamentable estado de las finanzas públicas, y la debilidad política del gobierno, lo que trascendió hasta la capital de la República, donde ya se encontraba instalado el nuevo presidente, Guadalupe Victoria, quien, ante la presión de los propios yucatecos, pidió a Santa Anna su renuncia al gobierno del Estado, misma que fue aceptada de buen grado por el congreso local el 25 de abril de 1825. Cinco días después, el general Santa Anna se embarca en Campeche con rumbo a Veracruz, en donde permanece todo el mes de mayo, hasta ser llamado por el presidente Victoria, quien pretende controlarlo al darle el anodino cargo de "Director del Cuerpo de Ingenieros", puesto que él acepta, pero por poco tiempo, pues a principios de 1826 renuncia a dicho empleo y se marcha para Jalapa, declarando que abandona el quehacer político y militar para dedicarse a la agricultura en su tierra natal, lo que muy bien pudiera considerarse una prudente salida de escena, pues en aquellos momentos las pasiones políticas se recrudecían por la acción de las logias masónicas, cuya importancia crece en detrimento de los partidos políticos, además de la labor corrosiva del ministro norteamericano Poinsett, quien no pierde oportunidad para participar en tribunas y escribir en publicaciones políticas, además de muchos incidentes que, en su conjunto, causan un estado de desequilibrio en el gobierno de Guadalupe Victoria.

Mas pronto habría de recomenzar Santa Anna su carrera política y militar, pues sucedió que el mes de julio de 1827, el comandante del puerto de Veracruz, coronel José Rincón, disgustado porque la legislatura del Estado había expulsado del territorio veracruzano al comisario general, Ignacio Esteva, intentó un movimiento de rebelión contra las autoridades civiles. Por supuesto, en el Estado no había otro caudillo más poderoso que Santa Anna, por lo que el gobernador Barragán tuvo que recurrir a él para sofocar aquel foco de insurrección, lo que realizó Santa Anna casi sin violencia.

Este acto le valió el nombramiento de vicegobernador del Estado de Veracruz, y poco tiempo después el de encargado del Poder Ejecutivo local, a causa de que el gobernador Barragán había solicitado licencia para separarse del cargo por enfermedad.

Se encontraba Santa Anna al frente del gobierno veracruzano, cuando el teniente coronel Manuel Montaño, de acuerdo con el vicepresidente de la república, general Nicolás Bravo, se sublevó el 23 de diciembre de 1827, en el pueblo de Otumba, casi a las puertas de la capital, pidiendo la disolución de las sociedades secretas, la dimisión del presidente Victoria y la expulsión del país de Mr. Poinsett.

Ante esta situación, Santa Anna dispuso de las fuerzas del Estado de Veracruz, sin recibir orden del gobierno federal y se movilizó sobre Huamantla, desde donde se dirigió el 2 de octubre de 1828 al general Vicente Guerrero, que había sido nombrado jefe de la expedición en contra de los sublevados, ofreciéndole su apoyo, lo que fue aceptado de buen grado por Guerrero, quien le ordenó que marchara sobre Tulancingo, que era una plaza fuerte del general Bravo.

La rapidez del movimiento de la columna de Santa Anna produjo un efecto sorpresa en los defensores de la plaza, quienes prácticamente no ofrecieron resistencia y entregaron la plaza.

En ausencia del hombre fuerte de Veracruz, el propio gobernador Barragán entró en rebeldía en Jalapa, pero rápidamente fue sometido por las tropas gobiernistas y se refugió en la hacienda de Manga de Clavo, donde fue capturado días después, en compañía de Manuel Santa Anna, hermano del general.

Habiéndose restablecido el orden, Santa Anna regresó a Jalapa, haciéndose cargo del gobierno del Estado en los momentos en que se iniciaban los sondeos para la elección del nuevo presidente de la república.

El General Vicente Guerrero.

Todas las fuerzas económicas y políticas se encontraban en contradicción; la hacienda pública estaba exhausta; la vieja burocracia veía el momento de recuperar sus antiguos privilegios, y en general los partidos se fraccionaban de acuerdo a intereses cada vez más particulares. En esas circunstancias, las figuras más viables para ocupar el poder eran los generales Vicente Guerrero y Manuel Gómez Pedraza, considerándose al primero como el representante del campo, y al segundo como el de las ciudades. Teniéndose que hacer la elección por el voto de las legislaturas, lo más fácil era presionar a favor de Pedraza; pero la competencia fue cerrada, diez legislaturas dieron su voto a Pedraza, ocho lo dieron a Guerrero.

La legislatura de Veracruz, y el jefe militar de la región, general Ignacio Mora, eran partidarios de Pedraza, mientras que Santa Anna manifestaba su simpatía por Vicente Guerrero.

Conociendo que se preparaba un golpe en su contra, Santa Anna partió sigilosamente hacia Jalapa el 11 de septiembre de 1828, al frente del quinto batallón y de un escuadrón del segundo regimiento; con estas fuerzas se parapetó en el fuerte de Perote, y cuatro días después publicó un plan, según el cual el pueblo y el ejército anulaban las elecciones en las que había salido triunfador Gómez Pedraza, se declaraban a favor de la república federal y pedían que las legislaturas procedieran a convocar nuevas elecciones.

La noticia del levantamiento de Santa Anna llegó a la ciudad de México el 15 de septiembre, presentándose ese mismo día el general Pedraza, quien ocupaba el Ministerio de la Guerra, ante el congreso, para informar de la situación; la resolución de esa sesión fue declarar al general Santa Anna fuera de la ley, ordenando al general Manuel Rincón que tomara el mando de las operaciones en el fuerte de Perote, empresa nada fácil, pues Santa Anna contaba en Perote con 1,256 hombres, de los cuales 270 eran civiles que se habían unido a sus filas en el trayecto de Jalapa al fuerte; además, disponía de 40 cañones y un buen acopio de víveres, de manera que cuando el general Rincón se presentó ante la fortaleza, y aunque llevaba más de dos mil hombres, Santa Anna tenía la superioridad de la fortificación de la plaza y de la moral de su tropa, que veía en su caudillo a un hombre de gran valor y sagacidad.

Ante la dificultad de un asalto directo, el general Rincón se limitó a establecer sus tropas en los puntos dominantes delante del fuerte, con lo que daba la ocasión de que por las noches salieran grupos guerrilleros de Santa Anna, dando golpes sorpresivos que hacían un daño considerable a las tropas gobiernistas.

El ministro de la guerra, Pedraza, se mostraba impaciente ante los titubeos de Rincón, quien insistía en la falta de elementos para la toma de la plaza, por lo cual Pedraza ordenó al general José Ma. Calderón que acudiera al frente de una columna en auxilio de Rincón.

Ya reforzado el ejército gobiernista, se pudo formalizar el sitio del fuerte de Perote en condiciones de superioridad, por lo que Santa Anna prefirió salir de la plaza y desplazarse hacia el Estado de Oaxaca, en donde creía encontrar una acogida favorable, poniéndose en contacto con otros jefes que suponía favorables a su causa.

La noche del 16 de octubre, Santa Anna hizo conocer su decisión a sus subalternos, dictando las providencias necesarias para romper el sitio y salir con la mayoría de las tropas, dejando como jefe de la fortaleza al capitán Paniagua, al mando de ciento noventa hombres, entre artilleros e infantes, pidiéndole que resistiera el sitio por lo menos hasta el mes de enero.

El grueso de las fuerzas de Santa Anna salió furtivamente del fuerte de Perote la noche del 19 de octubre, y aunque se dice que la noche era clara, los sitiadores no se dieron cuenta del movimiento de las tropas de Santa Anna, lo que pareciera extremadamente difícil, a no ser que los vigías gobiernistas estuvieran de parte de los alzados o hubiesen sido comprados.

Desplazándose con rapidez llegaron el día 21 a San Andrés Chalchicomula, en donde fueron recibidos de manera festiva, y de ahí se dirigieron a Tehuacán, donde el general Santa Anna impuso un préstamo de ocho mil pesos a los comerciantes del lugar y recibió informes de que sus sitiadores, los generales Rincón y Calderón ya se habían dado cuenta de su retirada y venían en su persecución, por lo que dejó rápidamente la plaza de Tehuacán y marchó por el camino de Oaxaca, poniéndose en contacto con el general Pantoja, quien se le unió con trescientos de sus hombres.

Los perseguidores dieron alcance a los rebeldes en el pueblo de San Juan, en Oaxaca; pero ante la sorpresa de todos no se produjo un ataque, y en vez de ello los generales Santa Anna y Rincón conferenciaron y pactaron un cese de hostilidades, hasta que se definiera la situación de la revisión de las elecciones, lo que había sido la causa del levantamiento de Santa Anna.

Al establecer el cese de hostilidades, el general Rincón no estableció las condiciones para evitar los desplazamientos de tropas, lo que aprovechó Santa Anna para marchar hacia Oaxaca y tomar la ciudad el 6 de noviembre, posesionándose de los conventos de Santo Domingo, El Carmen y La Sangre de Cristo.

Sintiéndose engañados, los generales gobiernistas marcharon hacia la ciudad de Oaxaca con objeto de combatir a los rebeldes, lo que ocurrió el 14 de noviembre, con grandes pérdidas para el ejército de Santa Anna, quien tuvo que batirse en retirada y refugiar sus tropas en los conventos antes citados, en los que se atrincheraron para resistir al enemigo. Pasaron varios días en deplorables condiciones para los sitiados; pero la noche del 29 de noviembre, Santa Anna, acompañado solamente por unos cuantos soldados, salieron furtivamente de Santo Domingo, pasaron las líneas enemigas y llegaron ante los muros del convento de San Francisco; desarmando a los defensores que se encontraban dormidos entraron en el convento, se vistieron con los hábitos de los franciscanos y esperaron a las primeras horas del día para llamar a misa; cuando el templo se llenó de fieles, cerraron las puertas y el general exigió a los feligreses lo que él llamaba "un préstamo".

Mientras que esto sucedía en Oaxaca, en la ciudad de México se produjo un motín propiciado por rebeldes de todos los bandos, quienes declararon triunfante la revolución y procedieron a saquear el Parián, que era el principal centro comercial de la ciudad de México. Las noticias se recibieron en Oaxaca y los sitiadores prefirieron parlamentar con Santa Anna antes que averiguar más del asunto, por lo que el general Santa Anna se dio por vencedor.

Años después, los admiradores de Santa Anna escribieron acerca de este episodio en *El Fénix de la Libertad:*

> *La campaña de Oaxaca en 1828, dígase lo que se quiera de la causa política que defendía, le hará eterno honor como capitán de su cortísima división; con ella se hizo respetar y temer del grupo de tropa florida que le perseguía; salió de Perote con artillería de grueso calibre sin ser sentido por los sitiadores; pasó de allá a Santo Domingo de Oaxaca por estrechísimos desfiladeros en que a cada paso encontraban obstáculos los generales Rincón y Calderón. En el convento de Santo Domingo se sostuvo con un puñado de hombres, con salidas oportunas y astucias comparables a las de Aníbal, llamado el general de los ardides.*

Así que por la fuerza de la fortuna, más que por la de las armas, Santa Anna salió victorioso de Oaxaca, con rumbo a Tehuacán, y al llegar ahí recibió un propio del general Vicente Guerrero, en el que le pedía una conferencia, misma que se efectuó en Tepeaca, el 23 de enero de 1829. En esa ocasión, los dos hombres se abrazaron efusivamente y Guerrero le ofreció a Santa Anna el ministerio de Guerra, en caso de que llegase a la presidencia de la república.

De ahí, Santa Anna regresó a su base de Jalapa, en donde fue objeto de un caluroso recibimiento.

Finalmente, el general Guerrero tomó posesión de la presidencia el 1º de abril de 1829, pero en lugar de llamar a Santa Anna a su gabinete, nombró al general Francisco Moctezuma como ministro de guerra, lo que produjo en Santa Anna un gran resentimiento, al grado de que no acudió en su ayuda en ocasión de la sublevación del vicepresidente Anastasio Bustamante.

Pero una nueva oportunidad para obtener prestigio llegó pronto para el general Santa Anna, pues sucedió que una temeraria expedición española se había hecho a la mar desde La Habana, al mando del brigadier Isidro Barradas, con dirección a las costas de México y con el propósito de iniciar la reconquista de la colonia.

La noticia llegó al general Santa Anna oportunamente, y sin esperar órdenes del gobierno central, como era ya su costumbre, impuso préstamos y exigió donativos, reuniendo veinte mil pesos, con lo que financió las fuerzas para hacer frente al enemigo.

El 4 de agosto, Santa Anna embarcó a una parte de sus fuerzas en varias goletas, un bongo, dos piraguas y tres botes de pescar y se hizo a la vela, mientras que por tierra despachaba más de dos mil hombres de a caballo.

Entre tanto, el general Barradas, al frente de tres mil hombres, había desembarcado en Cabo Rojo el 27 de julio, marchando de ahí sobre el puerto de Tampico, mismo que ocupó con facilidad, avanzando desde ahí sobre Villerías y Altamira, sin tener noticia de que el general Santa Anna había desembarcado en Tampico y venía en su seguimiento. Santa Anna llegó a la margen derecha del río Pánuco el día 20, y aun sin conocer las dimensiones de las fuerzas de Barradas decidió dar un golpe directo, contra toda lógica militar; aunque tal vez quería aprovechar la sorpresa.

Sin embargo, el embarque de los mexicanos fue sentido por los españoles, quienes desde luego se dispusieron a la defensa, por lo que la sorpresa no sucedió y la situación de las tropas de Santa Anna se volvió muy comprometida, pues el regreso al Pánuco y el reembarque resultaba casi imposible, por lo que no quedaba más que el ataque frontal, pero otro golpe de suerte favoreció al general Santa Anna, pues la avanzada de las fuerzas españolas era demasiado débil, y el grueso del contingente de Barradas en realidad no se encontraba en el campo, sino en camino, por lo que el comandante de la avanzada, quien al principio se defendió, prefirió salvar a sus hombres y firmó un acuerdo de armisticio con Santa Anna.

Al llegar Barradas, en principio desconoció el acuerdo de armisticio; pero reconoció que se encontraba en una posición vulnerable, y que el tiempo había corrido de manera desfavorable para él, pues sabía que las fuerzas del general Manuel de Mier y Terán se encontraban cerca de Altamira, por lo que su ataque sería por la retaguardia, encontrándose así entre dos fuegos. En estas circunstancias, prefirió aceptar el armisticio y permitir que las fuerzas de Santa Anna abandonaran el campo con honor y se reembarcaran para atravesar el Pánuco y situarse en Pueblo Viejo, mientras que Barradas inició la fortificación de la plaza.

Entre tanto, Santa Anna recibió refuerzos de varias partes de la república, y entró en contacto con Mier y Terán para coordinar las operaciones.

Estaba Mier y Terán en una posición dominante, aunque expuesto a un ataque simultáneo de los españoles por dos frentes, por lo que Santa Anna envió en su refuerzo a seiscientos hombres que, unidos a los dos mil de Mier y Terán, podrían hacer frente a los españoles, sobre todo porque sabían que muchos soldados españoles habían enfermado a consecuencia del clima, por lo que el general Barradas se sintió perdido e intentó parlamentar con Santa Anna, a lo que éste se rehusó, prefiriendo aprovechar la situación para adjudicarse la victoria, ordenando el ataque a las posiciones españolas, procediendo al asedio del Fortín de la Barra el 10 de septiembre, a pesar del huracán que se había desatado, lo que en realidad daba ventaja a los soldados mexicanos, acostumbrados a esta clase de eventualidades.

Los mexicanos atacaron las posición de los españoles desde la tarde del día 10 hasta bien entrada la noche, y se disponían a reiniciar el ataque en la mañana cuando los defensores del fortín pidieron parlamento, lo que obligó a Barradas a hacer lo propio, pues su posición quedaba muy vulnerable con la pérdida del fortín. Así que ese mismo día, a las tres de la tarde, quedó firmada la capitulación, delante del general Santa Anna, quien se quedó con los laureles del triunfo y se dispuso a regresar a su base de Jalapa. Pero antes de abandonar el puerto de Tampico, comisionó al general Felipe de la Garza para que se trasladara a la ciudad de México e informase al presidente Guerrero que tenía noticias de que estaba siendo preparada una rebelión y que consideraba prudente que el Ejecutivo convocara a una gran convención nacional para que se diera al país una forma definitiva de gobierno, idea que había sido elaborada por Lorenzo de Zavala, y que ahora se adjudicaba y promovería el general Santa Anna, a quien ya se llamaba el *Vencedor de Tampico* y a quien el Congreso daría el título de *Benemérito de la Patria.*

Santa Anna se había convertido en un héroe nacional.

7

El benemérito de la patria

Durante el gobierno del General Vicente Guerrero, mientras que los partidos militar y burocrático se hacían la guerra, las tendencias económicas representadas por Alamán y Zavala en realidad se percibían como meras propuestas utópicas, dado que se carecía de un elemento fundamental para echar a andar cualquier proyecto, esto es, el capital.

Ante esta situación, en el gobierno del presidente Guerrero se fue desarrollando, de una manera natural, lo único que no requería una fuerte inversión en infraestructura: el campo. Esta posición del gobierno central favorecía a los nuevos hacendados, pero lesionaba los intereses de la clase burocrática, representada por el vicepresidente Bustamante, quien había promovido la creación de un ejército alternativo, considerado "de reserva", que bien podía servir para apoyar en su momento un levantamiento a favor de los burócratas que buscaban apoyarse en la inversión extranjera, o bien era una fuerza que ponía un contrapeso a las posibles ambiciones personales de quien se había convertido en el más poderoso jefe militar: Antonio López de Santa Anna, lo que se puede deducir por el hecho de que el ejército de reserva fue concentrado precisamente en Jalapa, sede de las fuerzas de Santa Anna, quien escribió dos nuevas cartas, una dirigida al presidente Guerrero, en la que le pedía la reconsideración de su gabinete, lo que era tanto como insinuarle que lo nombrara ministro de la guerra, lo que, como ya sabemos, le había sido prometido. La otra carta era para el general Bustamante, y en ella le hacía saber que sospechaba de sus proyectos de rebelión y lo exhortaba para que desistiera de ellos.

Guerrero no contestó a la misiva, y Bustamante simplemente negó las acusaciones de Santa Anna, pero unos meses después efectivamente se sublevó contra el gobierno de Guerrero, no sin antes invitar al "ilustre vencedor de Tampico", para que se uniera a su movimiento, a lo que Santa Anna se rehusó, y en vez de ello tomó por su cuenta el mando civil y militar de Veracruz. Entre tanto, Vicente Guerrero había pedido licencia para acudir personalmente al mando de las fuerzas del gobierno a combatir a los sublevados. En esas circunstancias, Santa Anna prefiere desconocer tanto al gobierno interino como al que habían nombrado los sublevados y una vez más hace una de sus retiradas estratégicas, renunciando al mando en Veracruz y retirándose a "la vida civil" en la hacienda de Manga del Clavo que ahora era de su propiedad, pues habiéndose casado recientemente con doña Inés García, originaria de Alvarado, y aprovechando la dote de la dama, había comprado dicha hacienda.

Mientras tanto, en la ciudad de México, el partido burocrático había reforzado su dominio en el gobierno de Bustamante, propiciando las inversiones extranjeras y dando prioridad al desarrollo minero y a la industria en general, por lo que el ambiente social vuelve a ser el del imperio de Iturbide, desincorporándose a la gran masa del proyecto económico y político, por lo que se hace necesaria la intervención de los militares en la política.

Santa Anna, aparentemente retirado y dedicado a la agricultura en su hacienda, toma parte subrepticiamente en un magno pronunciamiento que se prepara en Veracruz desde mediados de 1831, y que finalmente estalla el 2 de enero del siguiente año, en cuya declaratoria se solicitaba la presencia del general Antonio López de Santa Anna, proponiéndosele como jefe supremo del movimiento.

Pero en lugar de ponerse al frente de los pronunciados, el general Santa Anna dirigió a Bustamante una carta en la que, en principio, apoyaba las pretensiones de los insurrectos, pero ofrecía sus servicios como mediador, para evitar la guerra civil. El general Bustamante no tomó en cuenta la propuesta de Santa Anna, pero sí nombró una comisión para negociar con los alzados, pero las pláticas fueron infructuosas, por lo que finalmente el general Santa Anna aceptó ponerse al frente del pronunciamiento.

Por su lado, el ministro de guerra del gobierno dio el mando del ejército de operaciones sobre Veracruz al general José María Calderón, quien de inmediato se puso en marcha sobre el puerto.

Santa Anna organizó una fuerza de mil seiscientos hombres, aunque en su mayoría eran civiles sin entrenamiento ni espíritu militar; sin embargo, eran todos oriundos de la región y estaban acostumbrados al clima, lo que no sucedía con el ejército del gobierno, compuesto principalmente por soldados del altiplano, quienes eran víctimas del clima, y del agotamiento por las largas marchas a las que se les había sometido.

Dándose cuenta de esa situación, el general Santa Anna salió de la plaza y con facilidad puedo capturar un convoy del gobierno, con lo que se hizo de materiales de guerra y de algunos soldados que se pasaron a su bando.

Entusiasmado por esa victoria, el 1° de marzo de 1832 realizó otra salida con mil cien hombres, con la pretensión de dar un golpe de audacia; pero el general Calderón, ya sobre aviso, reunió sus fuerzas para presentar un frente amplio, aprovechándose del terreno y de la proximidad de los refuerzos que llegaron desde Jalapa.

El combate se realizó en Tolome, y el general Santa Anna sintió la superioridad del enemigo desde el primer momento; hizo esfuerzos por resistir con la infantería; pero todo fue inútil, y tuvo que abandonar el campo en plena derrota, dejando una gran cantidad de muertos y prisioneros.

> *Santa Anna acaba de entrar al pueblo cubierto de sudor y de lodo, y casi solo. Su ejército ha sido destruido, pero él se ve tranquilo y jovial, como si no hubiese sufrido revés alguno.*

Esto escribió el 3 de marzo de 1832 el cónsul de los Estados Unidos en Veracruz a su gobierno, el mismo día en que Santa Anna había sufrido la derrota de Tolome.

Tras la victoria obtenida, el general Calderón hubiese podido tomar la plaza de Veracruz; pero la falta de cañones para abrir brecha le hizo desistir por el momento, lo que fue aprovechado por Santa Anna para reorganizar sus fuerzas con sorprendente rapidez, de manera que los últimos días de marzo ya tenía más de dos mil hombres en pie de guerra.

Pero Calderón no realizó acción alguna hasta mediados de abril, pues el gobierno no le pudo enviar cañones sino hasta esas fechas, y fue hasta entonces que se inició el asedio de la ciudad de Veracruz. Mientras tanto, en el resto del país se sucedían las sublevaciones: en Zacatecas, en San Luis, en Tamaulipas y en Jalisco, siendo el más importante de esos pronunciamientos el de Zacatecas, en donde se dejaba sentir la influencia del nuevo caudillo: Valentín Gómez Farías, quien proclamaba un nuevo plan, pidiendo la presidencia de la república para el general Manuel Gómez Pedraza.

Frente a Veracruz, el general Calderón se encontraba en malas condiciones, pues iba perdiendo hombres constantemente, aunque no hubiesen entrado en acción de guerra, pues la disentería era un enemigo más poderoso que el propio Santa Anna, quien se limitaba a observar desde lo alto de las murallas, sin hacer ninguna tentativa de salir, sino hasta mediados de junio, cuando llegó hasta la hacienda El Encero, preparándose a una batalla ante las posiciones del general Calderón.

Los dos ejércitos estaban frente a frente el 13 de junio, cuando el hacendado Juan B. Caraza se presentó ante Santa Anna como parlamentario a nombre del gobernador Sebastián Camacho y del general Calderón, buscando un arreglo que fuera honroso para ambas partes. En esta plática, Santa Anna expresó que ya no era suficiente para satisfacerlo la remoción de algunos de los ministros del gabinete de Bustamante y que éste tendría que acceder a conversar con él para elaborar juntos un plan de conciliación nacional; de otra manera, él, Santa Anna, continuaría en la lucha. Sin embargo, en esa ocasión quedó firmado un convenio conforme al cual las operaciones militares quedaban suspendidas hasta que el gobierno federal expresara su resolución.

No fue sino hasta el mes de julio cuando se reanudaron las pláticas para dar fin a la guerra, con la intervención de Guadalupe Victoria. Pero la situación del pronunciamiento había sido modificada sin la anuencia de Santa Anna, pues se firmó un acuerdo en el que el presidente Bustamante era desconocido, llamándose en su lugar al general Pedraza, lo que no era del agrado de Santa Anna, pues incluso cuatro años antes se había sublevado para evitar su ascenso a la presidencia; sin embargo, Santa Anna no podía sublevarse en contra de los propios sublevados, y tuvo que aceptar las nuevas condiciones.

Dada esta modificación de las condiciones, y siendo desconocido el interlocutor, inmediatamente Santa Anna hizo avanzar una parte de sus fuerzas sobre Teziutlán, mientras que él se movilizaba con el grueso de su ejército sobre Orizaba.

El general Facio, que había tomado el mando de las fuerzas gobiernistas en sustitución de Calderón, al darse cuenta de que los propósitos de Santa Anna eran invadir el Estado de Puebla, se situó en San Andrés para disputar al general sublevado el paso de las cumbres de Maltrata. Santa Anna no se movilizó sino hasta los últimos días de septiembre después de haber reunido sus fuerzas con las del coronel José Antonio Mejía, quien había desembarcado en Veracruz procedente de Tampico. Contando con tres mil hombres, Santa Anna, burló la vigilancia de Facio, cruzando las cumbres de Maltrata y ocupó, los primeros días de octubre, el pueblo de Amozoc, lo que ya representaba un serio peligro para el gobierno, por lo que el propio general Bustamente abandonó su campaña de San Luis Potosí para trasladarse al valle de México.

Mientras tanto, Santa Anna marchó sobre Puebla, que no tenía los medios suficientes para resistir el asedio, por lo que capituló de inmediato. Ya dueño de la importante plaza de Puebla, Santa Anna reorganizó sus tropas y resolvió avanzar sobre la ciudad de México. El 20 de octubre, las fuerzas sublevadas ocuparon los pueblos principales en torno a la capital, y Santa Anna estableció su cuartel general en Tacubaya.

El 12 de noviembre, sublevados y gobiernistas se encontraban a 24 kilómetros de distancia unos de otros y la situación era tensa en extremo. Santa Anna se detuvo en el pueblo de Casa Blanca y Bustamante avanzó sobre él, estableciéndose una acción de baja intensidad, pues el presidente esperaba las tropas de refuerzo que venían de México. Pero al llegar los refuerzos, Bustamante prefirió evitar el combate en ese lugar y marchó con sus fuerzas rumbo a Puebla, con la doble intención de retomar la plaza y repudiar a las tropas de refuerzo de los rebeldes, que ya venían de Veracruz.

Santa Anna siguió las huellas de Bustamante, y lo pudo alcanzar ya en las inmediaciones de Puebla en donde se enfrentaron en una batalla sin ventaja para ninguno de los bandos, pues las fuerzas se encontraban en tales condiciones de igualdad que la guerra civil se hubiese perpetuado, a no ser por la intervención del general Luis Cortázar, quien promovió una nueva ronda de negociaciones entre el gobierno y los sublevados, negociaciones que terminaron con la firma de un tratado firmado en la hacienda de Zabaleta, el 23 de diciembre de 1832, casi un año después del pronunciamiento de Veracruz.

Guadalupe Victoria.

El compromiso principal de ese tratado era el respeto irrestricto al sistema republicano federal, y en lo político se determinaba el cambio inmediato de gobierno, llamándose al general Gómez Pedraza a ocupar la presidencia de la república, al margen de las decisiones o sanciones del Congreso, por lo que Gómez Pedraza rindió su protesta en la ciudad de Puebla, ante un improvisado "Consejo de Gobierno".

A pesar de ser enemigo político de Pedraza, Santa Anna entró triunfalmente en la ciudad de México junto con él y colaboró en su instalación en el poder, aunque unos días después anunció que regresaba a Manga de Clavo, anunciando públicamente que "cambiaría la espada por el arado".

8

La presidencia virtual

Sin embargo, al poco tiempo, el Congreso decidió destituir a Gómez Pedraza y nombrar presidente de la república nada menos que a Antonio López de Santa Anna, dándose la vicepresidencia al doctor Gómez Farías. Santa Anna declinó el cargo y dio el poder a Gómez Farías, aduciendo que él ya había expresado su decisión de alejarse de la vida pública.

El gobierno de Gómez Farías, con José Ma. Luis Mora como ideólogo, no produjo ningún cambio positivo en la economía nacional; finalmente todo se reducía a salvar el presupuesto para sostener a la burocracia y apuntalar el propio gobierno.

Este favorecimiento de la burocracia fomentó el malestar entre los militares, quienes una vez más volvieron la mirada hacia Santa Anna, a pesar de que él insistía en permanecer al margen de las pasiones políticas del momento y permanecía en su hacienda.

El primer acto de rebeldía sucedió en Morelia, al pronunciarse el coronel Ignacio Escalada, bajo la consigna *Religión y Fueros*. Lo que supuestamente causaría efecto en la masa católica, que se consideraba resentida por las medidas que había tomado el gobierno de Gómez Farías y que afectaban los intereses de la Iglesia.

En esas circunstancias, Santa Anna rompió la tranquilidad de su exilio y se trasladó a la ciudad de México, en calidad de "observador", lo que causó un gran revuelo entre las facciones políticas: la burocracia organizó un gran recibimiento el 15 de mayo, y los militares respondieron con un fastuoso desfile militar, que obviamente tenía la finalidad de mostrar la fuerza del ejército, pues en el fondo todos sabían que el "hombre fuerte" entregaría el poder a quienes pudieran conservarlo.

Pero los militares no estaban dispuestos a esperar y comenzaron a conspirar; y antes de que se lograra un acuerdo entre las diferentes facciones de la milicia, el general Gariel Durán se levantó en armas y se situó en Tlalpan con un contingente relativamente corto, pero bien entrenado y pertrechado.

9

El dictador prisionero

El general Santa Anna no ignoraba que la asonada de Durán no era sino una oportunista vanguardia, y que en este movimiento estaban comprometidos los demás jefes de la guarnición de la capital; sin embargo los reunió la noche del 2 de junio. En esa reunión, Santa Anna condenó la actitud de Durán y anunció su resolución de ponerse al frente de soldados leales para reprimir aquella sublevación, lo que fue aceptado por los demás jefes, aunque sin demora se avisó a Durán del peligro que correría si entraba en batalla con las fuerzas comandadas por Santa Anna, y éste abandonó la plaza de Tlalpan, que encontró desierta Santa Anna, pero desde ahí mismo le envió una carta, pidiéndole que desistiera de su empresa, a lo que se negó el general Durán, y marchó hacia Cuautla. Hacia allá marchó Santa Anna en su seguimiento, aunque acompañado solamente por una escolta de cincuenta dragones, nombrando segundo en la jefatura al general Arista, quien iba al mando del grueso de la columna.

El propio Arista, aprovechando la lejanía del general Santa Anna, convocó a los jefes de las cuerpos militares, recordándoles los compromisos contraídos con Durán, y logrando que suscribieran una proclama conforme a la cual desconocían al gobierno de Gómez Farías y declaraban a Santa Anna *Supremo Dictador y Protector de la Religión y del Ejército*. Para comunicar dicho acuerdo, el general Arista destacó al teniente coronel Tomás Moreno, quien dio alcance al general en jefe en las cercanías de Yautepec.

Santa Anna, al escuchar las noticias que le llevaba Moreno, se mostró indignado y condenó, aunque no con demasiada severidad, la actitud de Arista, produciéndose a continuación una comedia, pues el general en jefe, al no aceptar la propuesta, se declaraba prisionero de los sublevados, mientras que los oficiales y soldados de su propia escolta lanzaban "vivas" al Supremo Dictador.

Ya fuera en calidad de prisionero o de supremo caudillo, cedió el mando de su escolta al propio mensajero, Moreno, y entró en Yautepec, en donde se le hizo un gran recibimiento, por más que el general insistía en que era un prisionero, de manera que al mismo tiempo resultaba defensor del gobierno, por no ceder a las pretensiones de los conjurados, y jefe supremo de la rebelión, según se presentaran las cosas en un futuro inmediato.

En su calidad de prisionero, Santa Anna envió a un mensajero a la capital, para informar al presidente Gómez Farías de lo sucedido, y asimismo envió a otro representante a Puebla, para informar a los militares responsables de la plaza acerca de la situación en que se encontraba. Acto seguido, recibió la visita del general Durán, quien empezó pidiéndole disculpas por *el mal rato que le habían hecho pasar.*

Soy prisionero de ustedes —respondió Santa Anna—, *hagan lo que gusten; yo moriré cien veces antes de admitir la dictadura.*

No, mi general —respondió Durán—, *yo y toda mi tropa estamos a la obediencia de usted; lo hemos proclamado supremo dictador, porque sólo en usted encontramos apoyo para sostener al ejército, que quiere destruir los congresos, lo mismo que al gobernador Zavala, poniendo en su lugar al señor Múzquiz. Para que haya paz es necesario que usted solo mande en la república; y los pueblos y el ejército lo han proclamado a usted supremo dictador.*

¡Nunca seré tirano de mi patria! —exclamó Santa Anna.

Durán quedó disgustado por la actitud del general, y ordenó que fuese trasladado a la hacienda de Buenavista, sin dejársele de rendir honores de presidente de la república, e incluso disponiendo que se celebraran algunas fiestas en su honor.

Recibida en la capital la noticia de aquella parodia del general Santa Anna, se creyó que la vida del presidente corría peligro a manos de los sublevados quienes, aparentemente, habían sometido al poderoso Santa Anna, por lo que muchos civiles se presentaron como voluntarios para combatir a los insurrectos y la cámara de diputados expidió un decreto ofreciendo cien mil pesos a manera de rescate por Santa Anna, a quien realmente se consideraba prisionero.

El presidente Gómez Farías lanzó un comunicado en el que se decía:

> *...el horroroso atentado, sin igual en los anales del crimen, que privó de la libertad al héroe insigne que la unanimidad de nuestros sufragios colocó al frente de esta execrable trama, os ha dejado entrever la influencia secreta de los antiguos opresores de la patria ...ligados por los vínculos más sagrados a la obediencia y la fidelidad al magistrado supremo que la nación eligió para gobernarla, supieron atraerle a sus redes, abusando de su candor y excesiva confianza.*

Después de difundir este comunicado y de haber sofocado un motín en la propia capital, el vicepresidente Farías declaró a la ciudad de México en estado de sitio y comenzó a organizar cuerpo cívicos de defensa, llamando a las armas a los ciudadanos de dieciocho a cincuenta años, con el propósito de liberar al héroe encadenado.

Pero no hubo necesidad de violencia alguna, pues Santa Anna, acompañado de dos oficiales de confianza, abandonó sigilosamente la hacienda de Buenavista la noche del

10 de junio, dirigiéndose precipitadamente a Jonacatepec, donde tomó un breve descanso para seguir a Atlixco, donde fue recibido con manifestaciones de júbilo, e incluso se celebró un *te deum* en acción de gracias por su liberación.

De Atlixco se trasladó a Puebla, donde estuvo hasta el día 16, dictando órdenes militares para continuar su camino hacia la ciudad de México.

Al llegar a la capital, conferenció con Gómez Farías, optando por hacerse cargo de la presidencia, donde solamente despachó unos días, pues le llegó la noticia de que el general Arista amagaba a la ciudad de Puebla, por lo que marchó a reprimirlo, apoyado por las escasas fuerzas que pudo reunir en la ciudad de México.

La actitud de Santa Anna desconcertó tanto a Arista como a Durán, quienes prefirieron rehuir el enfrentamiento con su prisionero-dictador, abandonando el estado de Puebla para dirigirse a Guanajuato.

Santa Anna regresó a México para organizar una columna e ir en persecución de los rebeldes, pero ya en el territorio de Querétaro se vio precisado a renunciar a su empeño, tanto por sus malas condiciones financieras como por la epidemia de cólera que se propagó entre sus soldados, situación ésta que lo mantuvo inactivo durante mes y medio.

Finalmente, después de haber cubierto las plazas de los hombres que habían muerto por la epidemia, en los primeros días de septiembre se puso en marcha hacia San Miguel, donde expidió el siguiente comunicado de advertencia:

> *Soldados. Los que hoy proclaman Dictadura, Centralismo y Convención, para destruir las instituciones federales, adoptadas libre y solemnemente por la Nación, porque prestando más garantías allanan sin conocerlo el camino a la monarquía de uno de los detestados Borbones. ¡Plugiese al cielo que esa porción de hermanos descarriados reconociese sus erro-*

res y volviera a la senda del deber antes que descargue sobre sus cabezas el azote terrible de las leyes!

También escribió una carta dirigida al general Arista, invitándolo a deponer las armas en bien de la paz nacional, pero Arista se negó rotundamente e incluso contestó en un tono ofensivo, por lo que Santa Anna, a pesar de sus limitaciones, avanzó hacia Dolores, mientras los sublevados retrocedían hasta Guanajuato, hasta donde llegaron las fuerzas de Santa Anna el 6 de octubre, iniciando de inmediato el ataque, mismo que se suspendió el día siguiente, pues el general Arista, solicitó parlamento, expresándole que estaba dispuesto a deponer su actitud y suspender la guerra, a cambio de una amplia amnistía para él y sus soldados.

Esta petición fue considerada por Santa Anna y sus allegados, y considerando que no era aceptable una rendición en esos términos, procedieron a reanudar el ataque sobre Guanajuato.

Sintiéndose perdido, el general Arista volvió a solicitar parlamento y dijo estar dispuesto a rendirse, con la única condición de que se respetaran las vidas de él y sus oficiales. Santa Anna aceptó y se firmó un convenio de paz.

Santa Anna regresó a México el 27 de octubre, para hacerse cargo de la presidencia de la república, pero en menos de un mes volvió a solicitar licencia al congreso y nuevamente tomó el camino de su hacienda de Manga de Clavo.

Esta nueva retirada era desde luego muy prudente, pues la situación económica y política era crítica y Gómez Farías era hostilizado por todos los sectores, principalmente por los militares y el clero, pues sus desesperadas medidas para aumentar el presupuesto gubernamental y sostener al Estado habían afectado seriamente los intereses del clero. Con objeto de paliar su déficit presupuestario, que en gran parte era consecuencia de los intereses que se debían pagar por préstamos anteriores, el gobierno se veía precisado a pedir nuevos préstamos, con lo que su situación era cada vez más comprometida.

El grupo militar llamaba insistentemente a Santa Anna para que ocupase la presidencia de la república, que de hecho le pertenecía. Santa Anna guardaba un prudente silencio, permitiendo que la situación del gobierno se agravara; hasta que, el 24 de abril, se presentó sorpresivamente en la ciudad de México y de inmediato asumió la presidencia, sin que ello significara la respuesta a ninguna de las facciones peticionarias o el compromiso con algún partido. De esa manera se convirtió en un gobernante personal, asumiendo de hecho la condición de dictador que anteriormente se le había propuesto, al derogar todas las leyes expedidas por el gobierno de Gómez Farías disolviendo las cámaras federales.

En la celebración de su onomástico, el 13 de junio de 1834, el presidente Santa Anna pudo ver a todo México político a sus plantas. Soldados y paisanos recorrían las calles, luciendo en sus sombreros cintas blancas y azules, con un letrero que decía: *Viva la religión y el ilustre Santa Anna*. Tal era el poder que se le otorgaba a Santa Anna, que un político considerado respetable, José Fernando Ramírez, le escribió una carta en la que le manifestaba su preocupación de que su gobierno degenerase en una dictadura unipersonal, lo que en realidad era una tendencia generalizada. Santa Anna respondió a la carta de la siguiente manera:

> *Yo no me he unido a ningún partido de los que destrozan la patria, ni cooperaré jamás a ser un ciego instrumento; sin abandonar aquella independencia que me es genial, y consultando los verdaderos intereses de la patria he obrado siempre por las inspiraciones de mi corazón, que se inclina a hacer el bien; y este convencimiento me alienta para no desmayar en medio de las calumnias que me levantan mis enemigos*

personales. La severidad de mi comportamiento en todas las épocas, y muy particularmente desde que ocupo la primera magistratura, no me ha salvado de las asechanzas de los perversos que cada vez se esfuerzan más en suponerme miras siniestras de que estoy exento... Ahora, más que nunca, han demostrado su encarnizamiento, a pretexto de que me opongo a las reformas; es cierto: me he opuesto, sí, a la festinación con que se dictan aquellas leyes que por influencia política dan pretexto a trastornar el orden cuya conservación me es encomendado y para que no se encienda una guerra religiosa y desoladora que estoy en la obligación de evitar.

Sin embargo, los partidos políticos estaban inquietos e inconformes con la política personalista de Santa Anna; el periodista Olaguíbel escribió lo siguiente en el diario *La Oposición*, el 8 de noviembre de 1834:

La república se haya dividida hasta el extremo y es tal la animosidad de los partidos, que ni es fácil calcular la época deseada de los desengaños y del anhelado reposo, ni consolatorio el dar una hojeada sobre la situación actual. Este papel difícil toca al general Santa Anna, y por fortuna se reconocen en él prendas bastantes para poderlo desempeñar. Ídolo sucesivamente de entrambos partidos, y abominado a la vez por entrambos; todo mundo conoce su carácter fácil de recibir impresiones, y en esa moderación que le es genial y que aborrece medios sanguinarios, es el hombre a propósito y el que debe preparar el camino por donde su patria ha de llegar al colmo de la prosperidad.

Como se verá, los ánimos y la ingente necesidad de seguridad y equilibrio en la nación creaban el ambiente propicio para una dictadura, independientemente de las preocupaciones de los intelectuales de la época, sin poder realizar sus planes económicos, continuaban viendo en los problemas políticos todo el valor de la vida mexicana e iban de un sistema a otro, preguntándose cómo se podrían solucionar los graves problemas de la guerra y del hambre en el país. Para Lucas Alamán, la solución era el centralismo, mientras que Lorenzo de Zavala pugnaba por un federalismo a ultranza, incluyendo el proyecto de una confederación mexiconorteamericana. Luis Mora, desde Europa, partía de la creencia de que México era un país con tan grandes riquezas naturales, que bastaba con un gobierno fuerte para administrar esa riqueza. Con base en estas ideas, y con Valentín Gómez Farías al frente de un movimiento político-militar, el estado de Zacatecas se declaró independiente del gobierno central y se levantó en armas. El gobernador, Francisco García, dispuesto a resistir al ejército del gobierno, organizó una fuerza compuesta por cinco mil milicianos, y de inmediato Santa Anna marchó sobre él, con sus más selectas tropas.

El primer encuentro se llevó a cabo en el pueblo de Guadalupe, a las puertas mismas de Zacatecas, el 11 de mayo de 1835, a pesar de lo numeroso de las fuerzas zacatecanas, no fue difícil para Santa Anna el obtener la victoria sobre ellas, dado que aquellas tropas se encontraban mal armadas y formadas por civiles sin entrenamiento militar.

Santa Anna y su ejército entraron triunfalmente en la ciudad de Zacatecas y de ahí, a pocos días, marchó a Aguascalientes, siendo recibido con júbilo, a manera de libertador. De ahí se trasladó a Guadalajara, donde las autoridades ordenaron la iluminación general, arcos triunfales y adornos en las casas, declarándose oficialmente tres días de fiesta en toda la ciudad. De ahí marchó a Morelia, donde igualmente se organizaron toda clase de eventos en su honor.

Santa Anna había alcanzado la cumbre de la gloria y era reconocido como indiscutible jefe y unificador del país. Sus enemigos políticos, y la gente en general, no dudaba que al regresar a la capital asumiría el poder dictatorial.

El 21 de julio de 1835, Santa Anna llegó a la ciudad de México, donde se le depararon grandes homenajes, pero el 30 del mismo mes, se despidió de sus amigos y emprendió el camino hacia Manga de Clavo.

Valentín Gómez Farías.

10

La guerra de Texas

En 1835, incluso el gobierno de México ignoraba los límites de su territorio, por lo menos en lo que se refería a las inmensas extensiones del norte, ricas en tierras de cultivo y pastoreo, pero de muy escasa población, en lo más recóndito del Estado de Texas se encontraba un pequeño poblado, llamado Nacogdoches, que había sido siempre un punto de comercio con los Estados Unidos, pero que ya en la época de Santa Anna se había convertido en el centro de los especuladores de tierras, de los aventureros y colonos norteamericanos, así como de inmigrantes de todas las nacionalidades que veían en el territorio texano, virgen en gran parte, la promesa de una nueva vida.

Los especuladores norteamericanos de hecho vendían o asignaban tierras a los colonos, en su mayoría europeos, de manera fraudulenta y a espaldas de las autoridades mexicanas, quienes difícilmente hubieran tenido control administrativo sobre aquellas tierras que, de hecho, estaban bajo el dominio de los abogados de origen sajón y de los especuladores, y de entre ellos destacan los nombres de quienes habrían de constituir la punta de lanza de la invasión administrativa de los territorios del norte de México, y más tarde del despojo armado; el principal de ellos fue un político ambicioso y aventurero llamado Samuel Houston, quien llegó a Nacogdoches en 1833, y se dedicó al ejercicio de la abogacía, con el reconocimiento de las autoridades mexicanas. De inmediato, Houston se dio cuenta de que la descomposición de la política mexicana representaba una oportunidad para adquirir una gran influencia en la política y la economía de la región, por lo que comenzó a conspirar, junto con otros personajes, con la finalidad de separar a la región de la tutela de México y anexarla a la unión americana, con lo que ellos, teniendo sólidas relaciones con el gobierno de Washington, podrían formar el gobierno estatal y manejar la promisoria economía de Texas. El 13 de febrero de 1833, Houston escribió una carta al entonces presidente Jackson, en la que le expresaba lo siguiente:

> *Habiendo llegado hasta la provincia de Texas, he adquirido algunos informes que podrían servir a vuestros propósitos, en caso de que se tuviese el deseo de proceder a la adquisición de Texas por parte del gobierno de los Estados Unidos.*
>
> *...Tal medida la desean los diecinueve veinteavos de la población de la provincia. México se encuentra en una guerra civil y el pueblo de Texas está decidido a formar un gobierno de Estado y a separarse de Coahuila; y a menos que México vuelva pronto al orden, Texas permanecerá separado de la Confederación Mexicana; ha batido y arrojado de su suelo a todas las tropas de México y puede defenderse contra su poderío, pues en realidad México se encuentra sin fuerzas ni recursos.*
>
> *La necesidad de dinero que tiene Texas, en relación con el camino que quiere y debe adoptar, hará inevitable la traslación de Texas a alguna potencia. Inglaterra está haciendo presión en su favor, pero sus ciudadanos se resistirán a cualquier traslado que se intente hacer a otra potencia que no sean los Estados Unidos.*
>
> *Mi opinión es que Texas, por conducto de los miembros de su convención, declarará, para el primero de abril, a toda esa comarca (al norte del río grande) como integrante de Texas propiamente dicho, y se dará una Constitución al Estado.*

Espero hallarme presente en esa convención y se les informará de las resoluciones tomadas. Es probable que fije yo mi residencia en Texas, pero nunca olvidaré el país que me vio nacer.

El presidente Jackson, efectivamente, tenía la mirada puesta en el territorio de Texas, pero no parecían agradarle los planes de los conspiradores de Nacogdoches, que su intención era lograr una anexión pacífica, a manera de compra-venta, y sin arriesgarse a una desgastante guerra con México. Por este motivo, Jackson envió a México a Anthony Butler, como su negociador, haciendo a un lado al embajador Poinsett. Pero, al parecer, el negociador no llegó a establecer siquiera los necesarios contactos, por lo que los planes de los especuladores de Nacogdoches se fueron convirtiendo en motivos de acción política para el gobierno de Washington.

En una convención, celebrada el 1° de abril de 1833, los conspiradores, encabezados por S. Houston, decidieron exigir al gobierno de México, como primer paso, la erección del territorio de Texas como un Estado, independizándolo de Coahuila, con lo que comenzó una serie de escaramuzas que en sí mismas carecían de importancia, pero que fueron aprovechadas por los convencionistas de Nacogdoches para caldear los ánimos y defender su decisión de independencia por medio de las armas; de Nacogdoches salieron emisarios a los Estados Unidos en busca de apoyo económico y de voluntarios para la posible guerra contra México, e hicieron de Nueva Orleans su centro de aprovisionamiento. Houston puso en venta cuatrocientos acres de sus tierras en el río colorado en dos mil quinientos dólares y marchó a Nueva Orleans, donde se declaró él mismo general del ejército texano y comenzó a comprar armas y reclutar voluntarios.

Mientras tanto, el general Cos, enviado por el gobierno central de México, había desembarcado en Matagorda, dirigiéndose a San Antonio de Béxar, para comenzar la campaña de represión de los sublevados. La guerra de Texas había comenzado.

El movimiento texano no creó alarma alguna en la ciudad de México ni en el propio gobierno, dado que, en principio, se trataba de un territorio remoto, y muchos otros problemas angustiaban a la clase burocrática, como era, principalmente, lo exiguo de las arcas públicas y los constantes brotes de insurrección en todo el país, por lo que el problema de Texas podía parecer poco importante para un gobierno que luchaba por la sola supervivencia.

Sin embargo, el hecho de que este movimiento pudiese derivar en la pérdida de territorio comenzó a causar una gran inquietud, sobre todo cuando se recibieron las noticias de la toma de la misión del Álamo por parte de los rebeldes. Y una inquietud todavía mayor se tuvo cuando se dio a conocer, el 1° de enero de 1836, que el fondo de reserva para el caso de invasiones extranjeras, que podía ser aplicado en Texas, ascendía a diez mil treinta y cuatro pesos, cantidad que no alcanzaría para financiar la mínima campaña.

Por esta razón, y a pesar de las grandes ataduras que tenía para la economía la deuda pública, el gobierno se decidió a contratar un empréstito de un millón de pesos en efectivo, en las peores condiciones, pues se imponía la descomunal tasa de un cuatro por ciento mensual de intereses y se daban en garantía las minas de Fresnillo, que eran una importante fuente de ingresos para el gobierno; además de ello, se suspendieron los pagos por derechos aduanales y se decretó un impuesto de guerra a razón del uno por ciento del valor de la propiedad urbana, que debía ser pagado prácticamente de inmediato. Todo lo cual trajo consigo una serie de protestas y una cierta rebelión civil que hacía tambalear al gobierno.

Por todo lo anterior, la campaña de Texas parecía irrealizable, y el territorio definitivamente perdido. Pero Sucedió que el 17 de noviembre, el general Santa Anna se presentó en la ciudad de México, procedente de su retiro en Manga de Clavo, pero no para tomar las riendas del gobierno en sí mismo, sino para ponerse al frente del ejército de operaciones sobre Texas.

A causa de la situación económica y de la imposibilidad de dejar descubiertos otros territorios de la nación, Santa Anna no pudo reunir más que un contingente de dos mil hombres, con los cuales se puso en marcha hacia el norte el 28 de noviembre de 1835, en medio de una despedida entusiasta.

Durante el largo trayecto, la columna fue engrosando debido a la incorporación de soldados de las guarniciones estatales, de manera que, al entrar a San Luis, la columna era formada ya por más de tres mil hombres. Pero el principal problema del general Santa Anna era el financiero, pues la asignación presupuestaria era insuficiente, sobre todo si se pretendía aumentar las fuerzas expedicionarias. Con maniobras un poco diplomáticas y otro poco forzadas, como era costumbre de Santa Anna, pudo reunir el capital suficiente para aumentar su contingente a cuatro mil quinientos hombres, con los que dejó la plaza de San Luis Potosí, habiendo enviado antes órdenes precisas al general Ramírez Sesma, para que desde Saltillo marchara hacia Texas, en auxilio del general Cos, a quien suponía en angustiosa situación en San Antonio de Béxar.

Por otra parte, en territorio norteamericano, y principalmente en Nueva Orleans, se reclutaban voluntarios para la guerra de Texas, además de la campaña de aportaciones de dinero y empréstitos para los rebeldes, a quienes resultaba muy fácil ofrecer en garantía las tierras y los recursos naturales de la región que llegarían a poseer, por lo que la inversión resultaba atractiva para muchos especuladores.

Nombrado comandante en jefe de los sublevados, Estevan F. Austin decidió marchar sobre San Antonio de Béxar, plaza defendida por el general Cos, quien resistió por más de un mes el asedio de la plaza, hasta que el 5 de diciembre, el general Milam, sustituyendo a Houston, se lanzó sobre la plaza, obteniendo un éxito parcial, pues se posesionaron de sitios estratégicos para un ataque posterior. Dándose cuenta de su desventajosa situación, Cos trató de negociar su capitulación, pero los rebeldes no aceptaron las condiciones por él propuestas, por lo que el asedio continuó y las fuerzas que defendían la plaza comenzaron a menguar, a causa de las deserciones, por lo que el resto de las fuerzas de Cos se refugiaron en el Álamo, resistiendo desesperadamente, con la esperanza de que llegarían tropas mexicanas en su auxilio; pero, al fin, el 11 de diciembre, el general Cos capituló, con la promesa de retirarse más allá del río Bravo y no volver a tomar las armas en contra de los sublevados.

Con esta acción, el territorio de Texas podía considerarse en poder de los rebeldes.

11

San Antonio de Béxar

Las fuerzas de Santa Anna marchaban penosamente desde San Luis hacia Saltillo cuando se recibió la noticia de la pérdida de la plaza de San Antonio, lo que fue un golpe para las expectativas de Santa Anna. Ya en Saltillo, la situación del ejército expedicionario volvió a ser financieramente inviable, por lo que una vez más Santa Anna tuvo que recurrir a todos sus medios persuasivos y perder un tiempo valioso en estas negociaciones, además del entrenamiento forzado para una buena parte de los miembros de su columna, quienes habían sido reclutados con el estímulo de la paga, pero no eran soldados de oficio.

Ya habilitado lo mejor que pudo, Santa Anna dispuso la campaña de San Antonio en tres columnas, una al mando del general Ramírez y Sesna, quien marcharía de Laredo para seguir a Monclova; otra columna al mando de José Urrea marcharía por Matamoros, donde se le uniría un batallón de indios mayas, que era la contribución del estado de Yucatán a la guerra texana.

Puestas en movimiento las dos columnas, y habiendo perdido las esperanzas de recibir más recursos pecuniarios de los departamentos o del gobierno central, decidió marchar él mismo al frente de sus tropas desde Saltillo.

El total de tropas del ejército mexicano que operaba sobre Texas en ese momento era de seis mil ciento once hombres, sin incluir las fuerzas del general Cos, que se unieron a la columna de Ramírez y Sesna en Laredo; estas fuerzas eran aproximadamente de doscientos soldados de línea y unos trescientos reclutas.

El ejército mexicano se internó en el territorio texano, golpeado por las inclemencias del tiempo y no por el enemigo, que todavía no era visible. El verdadero enemigo de esa campaña fue la falta de previsión o la irresponsabilidad del propio Santa Anna y de sus generales, pues los soldados, y las mujeres y los niños que los seguían padecían por la escasa alimentación, por la falta de agua y por el intenso frío, lo que causó la muerte a muchos de ellos.

Santa Anna, con una escolta privada, se había trasladado al frente, reuniéndose con Sesma en el río Nueces, donde emitió la siguiente exhortación dirigida a sus soldados:

> *¡Compañeros de armas! Nuestros más sagrados deberes nos han traído a estos llanos, obligándonos a emprender esta marcha para combatir a esta chusma de aventureros ingratos, a quienes nuestras incautas autoridades prodigaron unos favores con que no se distinguieron a los mismos mexicanos. Se han apropiado de nuestros territorios y levantado el pendón de la rebelión a fin de separar de nuestra república este fértil y vasto departamento, persuadiéndose de que nuestras disensiones intestinas nos imposibilitarían atender a la defensa de nuestro territorio. ¡Miserables! Pronto verán su locura.*
>
> *¡Soldados! Vuestros compañeros de armas han sido traidoramente sacrificados en Anáhuac, Goliad y Béjar, y a vosotros os toca castigar a los asesinos.*
>
> *¡Amigos míos! Marchamos al terreno donde nos llaman los intereses de la Nación a que servimos. Los candidatos a los acres de tierra de Tejas aprenderán, por su desgracia, que sus auxiliares de Nueva Orleans, Mobila, Boston, Nueva York y otros puntos del Norte, cuya ayuda moral es mal permitida, son en sí, insignificantes, y que los mejicanos, aunque naturalmente generosos, jamás permitirán que se ultra-*

je, deshonre ni agravie con impunidad a su patria, sean los que fueren los autores.

Habría que imaginar el efecto de esta florida exhortación en la mente de los soldados, muchos de los cuales ni siquiera hablaban el castellano, como era el caso de los seiscientos indios mayas enviados de Yucatán, para defender a una patria que no comprendían, y cuya mayor lucha era la de mantenerse vivos en este frío que les helaba el cuerpo, y seguramente también el alma.

Desde mediados de enero, los sublevados de Texas tuvieron noticia de la marcha del ejército mexicano, por lo que el general Houston ordenó al coronel Bowie que se trasladara de Goliad a Béxar, para demoler las fortificaciones y concentrar todos los elementos de guerra en González y Cópano; pero las disensiones entre los rebeldes eran tales que las órdenes no fueron cumplidas, pues los defensores de la plaza decidieron jugar el papel de héroes y morir en la plaza antes que entregarla.

Santa Anna, por su parte, conociendo la situación del enemigo y tratando de evitar que éste se encerrara en el Álamo, dispuso que el general Cos se adelantase con la caballería, pero una fuerte lluvia complicó las cosas y se perdió la sorpresa, y los defensores de San Antonio tuvieron tiempo de refugiarse en el Álamo, que era una antigua misión, pequeña en sí misma, pero situada de manera que se podía observar desde ella todos los movimientos del enemigo.

Aunque en desventaja por su cantidad, los defensores del Álamo se encontraban en buenas condiciones físicas debido a su alimentación y descanso, poseían un buen armamento; además de que a muchos de ellos se les había reclutado precisamente por sus habilidades de buenos tiradores, lo que hacía que pudiesen presentar un buen frente.

Fracasada la sorpresa, Santa Anna envió comisionados con bandera blanca para solicitar la rendición de la plaza; pero la respuesta del Álamo fue un disparo de cañón sobre la plaza principal de San Antonio, donde se había aposentado el grueso de las tropas mexicanas.

Santa Anna prefirió esperar a la llegada de refuerzos antes que iniciar un ataque. La mañana del día 25, la columna de Sesma cruzó el río San Antonio, situándose en las cercanías del Álamo y ordenando la construcción de parapetos para proteger a sus tropas del constante cañoneo de los sitiados, lo que en realidad causaba menos estragos que el intenso frío.

El sitio se prolongaba demasiado y existía la posibilidad de que los rebeldes recibieran refuerzos por parte de los colonos norteamericanos, por lo que el general Santa Anna convocó a una junta con sus oficiales para estudiar la situación y tomar una decisión, y ésta fue la sugerida por Santa Anna, que era el proceder al asalto de la plaza de inmediato, por lo que en la misma reunión se dispuso la estrategia de asalto y se comenzaron las operaciones a las cuatro de la mañana, al son del clarín de órdenes. Algunos soldados, llevando el fusil a la espalda, tendieron escalas sobre los muros y comenzaron a trepar en medio del fuego enemigo; el coronel Juan Morales se apoderó de un cañón montado en uno de los ángulos de la misión y pudo dispararlo hacia el interior, con lo que abrió un camino para el asalto a bayoneta calada.

Una hora y media duró el asalto, en el que murieron todos los defensores, en número de ciento ochenta; las bajas del ejército mexicano fueron cincuenta y dos, y los heridos doscientos treinta y tres.

La leyenda del Álamo, difundida por los norteamericanos, hace pensar que Santa Anna ordenó liquidar a todos los defensores del Álamo, incluso a los que se hubieran rendido, lo que no deja de ser una mera especulación, pues dicha matanza carece de pruebas testimoniales y se basa únicamente en el hecho de que no hubieron sobrevivientes del bando de los texanos. Sin embargo, esta cruel actitud por parte de Santa Anna, se volvería creíble si consideramos la respuesta a una carta del general Urrea, quien había vencido a un contingente de rebeldes en un lugar llamado Encinal del Perdido, en donde había aceptado la rendición de los texanos, aceptando que se les debía tratar "como aconseja la humanidad". Informado Santa Anna de que Urrea había tomado prisioneros, le envía una carta dirigida al "comandante del punto de Goliad":

> *Por parte que acabo de recibir del Sr. Coronel D. Francisco de Garay, estoy impuesto de que existen doscientos treinta y cuatro prisioneros que ha remitido el Sr. General D. José Urrea, hechos en la acción de Encinal del Perdido... y como el Supremo Gobierno tiene órdenes de que los extranjeros que se tomen con las armas en la mano haciendo guerra a la nación, sean tratados como piratas, he extrañado que no se haya dado cumplimiento a la circular del Supremo Gobierno... Por tanto, ordeno a S. V. la haga cumplir inmediatamente con todos esos extranjeros rendidos a fuerza de armas... Espero, pues, que en contestación me diga V.S. hallarse satisfecha la vindicta pública con el castigo de tan detestables delincuentes.*

El día 24, Santa Anna recibió en Béxar el parte oficial del general Urrea fechado en Guadalupe Victoria, adonde había seguido el jefe de la columna expedicionaria después de la acción de Encinar del Perdido, en el que informaba:

> *...Está igualmente* (a disposición del gobierno) *el jefe Fanning, sus compañeros y más de trescientos soldados que guardaban la citada fortaleza. Éstos, al salir de los atrincheramientos, sacaron nueve piezas de artillería y como mil fusiles.*

La respuesta de Santa Anna es terminante:

> *Siento que me haya V. precisado a recordarle nuevamente, como lo he hecho de oficio, la circular del Supremo Gobierno*

sobre la conducta que ha de observarse con los infames extranjeros que, profanando el sagrado territorio de la república, se aprehendan con las armas en la mano, derramando sangre de los mejicanos. A nadie cedo, amigo mío, en compasivo, pues no sé aborrecer a hombre alguno, y aun en mis agravios personales, jamás he pensado vengarlos; pero, ¿quién me da facultades para sobreponerme a lo que el gobierno de la nación ha mandado, indultando a unos delincuentes de la magnitud de estos extranjeros? ¿Bajo qué pabellón hacen estos la guerra a la república entera, asesinando traidoramente a nuestros destacamentos, incendiando nuestros pueblos, atacando las propiedades de los pacíficos ciudadanos, e intentando robarse una gran parte de su territorio? ¿Y V. pretende que recaiga sobre mí la indignación nacional, como sucedería si se entendiese que protegía a semejantes forajidos? Bien distinguirá V. que ésta no es una guerra de hermanos, como las que desgraciadamente hemos tenido entre nosotros. Tampoco lo es de nación a nación, en la que, según el derecho de gentes y de guerra, debe haber cuartel, respetándose los prisioneros hasta ser canjeados por otros. Estos extranjeros a fuer de bandidos se han lanzado sobre el territorio de la república para robarse una parte de él, atropellando por todo; y por eso la justificación del supremo gobierno que los ha declarado con justicia piratas, y mandado tratar y castigar como tales.

La orden fue remitida a quien en esos momentos era el guardián de los prisioneros, José Nicolás de la Portilla, quien, la madrugada del día 26, separó del conjunto de prisioneros a los ochenta y dos capturados en Cópano, a los médicos y a los ayudantes de éstos, y ordenó que el resto se pusiera en marcha, dentro de las tres filas de soldados mexicanos que había dispuesto. A una señal dada por Portilla, los prisioneros fueron separados por grupos y asesinados sin mayor protocolo; aprovechando el tumulto, algunos trataron de huir, pero fueron perseguidos por la caballería y muertos en el lugar donde se les encontraba.

El número de asesinados esa mañana fue de trescientos treinta.

Después de ejecutada la orden, de la Portilla escribió al general Urrea:

> *Soy muy desgraciado, puesto que a sangre fría se ha representado hoy aquí un cuadro que me ha horrorizado. En fin, el deber militar y la patria están de por medio... repito mi conformidad con todo, menos con servir de verdugo, y de que se me mande matar a más gente.*

La noticia de la toma del Álamo fue recibida con expresiones de júbilo en la capital de la república; en esa ocasión, el general José Ma. Tornel se presentó en la cámara de diputados mostrando la bandera de los rebeldes que había sido tomada en el Álamo y enviada por Santa Anna al gobierno central como preciado trofeo de guerra. En un acto por demás histriónico, Tornel arrojó la bandera al suelo y pisoteándola furiosamente expresó con engolada voz: *¡Juro, en nombre de la nación que pronto quedarán exterminados los disidentes y los traidores!*

Los diputados vitorearon a Tornel y a Santa Anna. Al día siguiente apareció en el titular de un diario capitalino:

> *Dios sea loado por todo, y más por la protección decidida que le dispensa a la nación mejicana.*

Como parte de los honores de celebración de la toma del Álamo, el maestro Rossi compuso un himno que se cantaba en todos los actos oficiales:

> *Ingratos traidores hollaron las leyes*
> *y se apoderaron del feraz terreno,*
> *y en él se colocan cual si fueran reyes*
> *y escuchar hicieron de la guerra el trueno.*
> *Así a la victoria a los bravos guiara*

el hijo de Marte, varón eminente,
el que los destinos de la patria cara
rige, y sus destinos sostiene valiente.
Ilustre Santa Anna, preclaro caudillo,
todo a tu presencia se vuelve vencible,
eres en el triunfo bondadoso y sencillo,
pero en el combate, con razón temible.

12

San Felipe

Con la toma del Álamo quedaba desactivado uno de los principales núcleos de las sublevación de Texas, y con ello comenzó la persecución de los alzados por todo el territorio.

El autonombrado general Samuel Houston parecía perdido, pues en su mayoría los alzados se habían desbandado ante el avance de los mexicanos; sin embargo con firme voluntad, sobre todo con un fuerte financiamiento, logró crear un nuevo núcleo de fuerza, integrado en su inmensa mayoría por mercenarios reclutados en todos los Estados Unidos.

Habiéndose celebrado una nueva convención antes de la caída del Álamo, se habían recibido los llamados angustiosos de los defensores de la plaza, pero no se hizo más que imprimir mil copias para usarlas como material propagandístico y proceder a redactar la declaración de independencia de Texas, nombrándose como presidente de la nueva república a Davis J. Burnet, y como vicepresidente a Lorenzo de Zavala.

Pero las noticias de lo ocurrido en el Álamo y posteriormente las de los fusilamientos masivos llenó de horror a los convencionistas y en general a los rebeldes, de manera que decidieron emprender la retirada hacia el Norte, en actitud de derrota. Pero fue precisamente esa derrota la que marcó su posterior triunfo, pues la noticia de la crueldad de Santa Anna se difundió ampliamente, de manera que muchos de los colonos, que hasta ese momento se habían mantenido neutrales, se unieron a las fuerzas rebeldes, ya fuera por temor o por dignidad.

Aparentemente, el general Houston se retiraba del Colorado al Brazos, por temor a presentar batalla al ejército mexicano; sin embargo su propósito era llegar hasta la frontera con los Estados Unidos y solicitar el apoyo del general Edmund P. Gaines, quien tenía a su cargo el ejército de guardia fronteriza, acantonado en el fuerte de Jessup.

Pero más que en el apoyo incondicional del general Gaines, Houston confiaba en que la desmañada prepotencia y megalomanía de Santa Anna lo llevara a propiciar un incidente fronterizo, con lo que se aseguraba la actitud favorable tanto del general Gaines como del propio presidente y del congreso de los Estados Unidos.

Desde luego, Houston estaba en lo correcto. Lleno de entusiasmo, el general Santa Anna se lanzó en persecución de Houston.

Puesta en movimiento la columna de Ramírez y Sesma, reforzada la brigada de Urrea, el general en jefe dispuso la salida de una tercera columna, bajo el mando de Gaona, con setecientos hombres. Según el plan de Santa Anna, Gaona se dirigiría hacia Nacogdoches, Sesma avanzaría hacia San Felipe, y Urrea marcharía por la costa con rumbo a Galveston.

Puesto en marcha todo el ejército, el general Santa Anna abandonó la plaza de Béxar el 31 de marzo, hacia lo profundo del territorio texano al mando de un ejército que había quedado reducido a menos de la mitad, y no por las bajas en las batallas, que fueron mínimas para las fuerzas mexicanas, sino por la cruenta guerra contra la naturaleza que libraban los mexicanos, y por la miseria física y moral a la que eran sometidos por parte de sus autoridades.

En la capital de la república el general Tornel, ministro de la guerra, continuaba haciendo desesperados esfuerzos por auxiliar a los expedicionarios de Texas, pero el dinero seguía faltando al gobierno, a cuyo frente había quedado José Justo Corro. El gobierno se encontraba en desastrosas condiciones financieras, por lo que su única preocupación en esas circunstancias era su propia sobrevivencia, ante el descontento popular y las insidias en el seno del partido burocrático.

Establecido en un punto llamado Groce, en las márgenes del Brazos, el general Houston se dedica a concentrar y organizar sus fuerzas, que van engrosando a medida que avanza el ejército mexicano. Logra así crear un nuevo regimiento, que puso a las órdenes del coronel Sidney Sherman, mientras continuaba sus conversaciones con los miembros de la convención, que se habían constituido en gobierno de la nueva república de Texas, con sede en Harrisburg, hacia donde, finalmente, se encaminó Houston al frente de sus tropas, llegando el 18 de abril, en deplorables condiciones, pues en las últimas dos jornadas había cubierto una distancia de cincuenta y cinco millas.

Santa Anna, con una confianza ilimitada, creyendo, como siempre en que la rapidez y la sorpresa determinarían su éxito en la batalla, avanzó a marchas forzadas hacia Harrisburg, pretendiendo con ello dar el golpe de gracia al espurio gobierno de los sublevados.

Sin descansar llegó a las puertas de la ciudad a las once de la noche del día 14, entrando sigilosamente en ella, que encontró prácticamente desierta, pues ahí no había más que tres personas, que se encontraban trabajando en la composición del periódico *Texas Register and Telegraph*. La población en general había huido y el presidente de la república texana, junto con su gabinete y todos los congresistas habían tomado un vapor hacia Galveston.

Ante esta virtual derrota, el general Santa Anna decidió marchar hacia New Washington, un poblado frente a la bahía de Galveston, conocedor de que el ejército de Houston acampaba en un bosque cercano, sobre las márgenes del río San Jacinto, a donde la columna de Santa Anna llegó el 20 de abril. De un golpe de vista, Santa Anna se dio cuenta de que Houston no podía retroceder, pues tenía a sus espaldas el río Buffalo. Como una estrategia de provocación, el general envió varias guerrillas, que tenían la misión de atraer a Houston hacia una colina en donde había emplazado el único cañón que llevaba y tendido su infantería en posición de batalla.

El general Houston no cayó en la provocación que lo llevaría a una emboscada y se limitó a disparar sus cañones de vez en cuando, con lo que señalaba que se encontraba en pie de lucha. Ante esta situación, el general Santa Anna prefirió buscar un lugar para pernoctar, no cuidando demasiado que el sitio ofreciera ventajas para el caso de ser atacado, pues seguramente consideraba que el enemigo era demasiado débil.

Houston también se mantenía a la expectativa, y a la mañana siguiente se pudo dar cuenta de que el ejército mexicano estaba recibiendo refuerzos, por lo que ordenó que se destruyera el puente llamado de Vince, para dificultar la incorporación de nuevos refuerzos.

A las tres y media de la tarde, inesperadamente, el general Houston dio la orden de batalla, contando con dos piezas de artillería y alrededor de ochocientos hombres, que Houston comenzó a organizar para la lucha, mientras la gente de Santa Anna, y él mismo, dormían la siesta.

El 21 de abril, a las cuatro de la tarde, Houston levantó su espada y sus hombres comenzaron a avanzar agazapados entre la maleza, sin ser percibidos hasta unos cuantos pasos de los vigías mexicanos. A una señal del general Houston las dos piezas de artillería hacen sus primeros disparos y los soldados cargan sobre las fuerzas de Santa Anna, quien de inmediato se pone de pie y comienza a dar órdenes, pero el empuje de Houston es imponente; los asaltantes aprovechan el desconcierto y la virtual desbandada para disparar sobre los que huyen o atacarlos a bayoneta limpia. Santa Anna ve que su columna de mil doscientos hombres está siendo masacrada, monta en su caballo y huye junto con su plana mayor y los soldados que tienen la posibilidad de seguirlo.

Esta acción duró solamente dieciocho minutos, en los que el ejército mexicano tuvo el desastroso saldo de 400 muertos, doscientos heridos y setecientos treinta prisioneros.

Santa Anna logró huir, pero no pudo avanzar mucho pues encontró destruido el puente de Vince, como ya hemos narrado anteriormente; por esa razón tuvo que avanzar lo más que pudo entre la maleza, hasta que ésta se volvió tan cerrada que prefirió abandonar a su caballo y seguir a pie. Finalmente pudo llegar a una finca de campo que estaba abandonada y ahí encontró algo de ropa con la que pudo disfrazarse. Al siguiente día reemprendió la marcha, pero no había avanzado mucho cuando fue descubierto por los hombres que Houston había enviado en su persecución y fue aprehendido, aunque sin ser reconocido por los soldados, quienes lo llevaron a su base para ser interrogado, ahí fue reconocido ampliamente y conducido a la presencia de Samuel Houston, quien lo conminó a que diera la orden de rendición al resto de sus fuerzas, a lo que Santa Anna se negó, aceptando solamente un armisticio, para lo cual dictó un oficio dirigido a su segundo en jefe, el general Filisola, en los siguientes términos:

Ejército de operaciones. Excmo. señor. Habiendo tenido ayer un encuentro desgraciado la corta división que obraba a mis inmediaciones, he resultado estar como prisionero de guerra entre dos contrarios, habiéndome guardado todas las consideraciones posibles; en tal concepto, prevengo a V.E. ordene al general Gaona contramarche con las tropas que tiene a sus órdenes; previniendo asimismo al general Urrea se retire con su división a Guadalupe Victoria; pues se ha acordado con el general Houston un armisticio, ínterin se arreglan algunas negociaciones que hagan cesar la guerra para siempre.

...Espero que sin falta alguna cumpla V. E. con estas disposiciones; avisándome en contestación, de comenzar a ponerlas en práctica.

Dios y Libertad. Campo de San Jacinto. Abril 22 de 1836.

A pesar de esta orden, que daba grandes ventajas a Houston, sus oficiales se empeñaban en fusilarlo, recordando su actitud con los prisioneros de su bando. Se dice que su salvación se debió a que al ser llevado como prisionero al campo enemigo, Santa Anna hizo la señal masónica ante John A. Wharton, quien había fundado las primeras logias de Texas. Lo más probable es que Houston, quien era un hábil político, quisiera conservar vivo a Santa Anna para usarlo como una carta fuerte en futuros movimientos, lo que sin duda era una muestra de astucia.

Pocas veces un prisionero de guerra ha sido objeto de tantas especulaciones y polémicas entre sus captores; las opiniones se dividieron en tres grupos: uno de ellos estaba formado por los aventureros sin escrúpulos que habían llegado de todas las regiones de los Estados Unidos y pedían que se le ejecutase sin miramiento alguno; otro grupo pretendía retenerlo en calidad de rehén y negociarlo directamente a cambio del reconocimiento de la independencia de Texas. Un tercer grupo, entre los que se contaba Houston, no tenía un plan definido, sino solamente una motivación política que les sugería el mantener con vida al general-presidente, con objeto de manejarlo en las mejores condiciones, según se presentaran los acontecimientos.

Finalmente triunfó la posición moderada y pragmática de Houston, por lo que Santa Anna y otros prisioneros fueron embarcados en el *Yellowstone* con rumbo al puerto de Velasco, considerando que esa era una locación adecuada para la seguridad de los prisioneros. Mientras tanto, el comandante Rusk se dedicaba a redactar dos tratados, uno público y otro privado, que pretendían que suscribiese Santa Anna y que tenían la finalidad, en primer término, de lograr la suspensión de las hostilidades, y en segundo término propiciar la real independencia de Texas, como un paso necesario para su ulterior anexión a la unión americana.

En su esencia, el documento público decía lo siguiente:

1. *El general Antonio López de Santa Anna se conviene en no tomar las armas, ni influir en que se tomen contra el pueblo de Tejas, durante la actual contienda de independencia.*
2. *Cesarán inmediatamente las hostilidades por mar y tierra entre las tropas mexicanas y las tejanas.*
3. *Las tropas mexicanas evacuarán el territorio de Tejas, pasando al otro lado del río Grande del Norte.*
4. *El ejército mexicano, en su retirada, no usará de la propiedad de ninguna persona sin su consentimiento y justa indemnización, tomando solamente los artículos precisos para su subsistencia no hallándose presentes los dueños, y remitiendo al general del ejército tejano, o a los comisionados para el arreglo de tales negocios, la noticia del valor de la propiedad consumida, el lugar donde se tomó y el nombre del dueño, si se supiere.*
5. *Que toda la propiedad particular, incluyendo ganado, caballos, negros esclavos o gente contratada de cualquier denominación, que haya sido aprehendida por una parte del ejército mexicano, o que se hubiere refugiado en dicho ejército desde el principio de la última invasión, será devuelta al comandante de las fuerzas tejanas o a las personas que fueren nombradas por el gobierno de Tejas para recibirlas.*
6. *Las tropas de ambos ejércitos beligerantes no se pondrán en contacto, y a este fin el general tejano cuidará que entre los dos campos medie una distancia de cincuenta leguas por lo menos.*
7. *El ejército mexicano no tendrá más demora en su marcha que la precisa para levantar sus hospitales, trenes, etc., y pasar los ríos, considerándose como una infracción de este convenio la demora que sin justo motivo se notare.*

8. *Se remitirá por expreso violento este convenio al General de División D. Vicente Fisiola, y al General T. S. Rusk, comandante del ejército de Tejas, para que ambos queden obligados a cuanto les pertenece y que, poniéndose de acuerdo, convengan en la pronta y debida ejecución de lo estipulado.*
9. *Que todos los prisioneros tejanos que hoy se hallan en poder del ejército mexicano, o en el de alguna de las autoridades del Gobierno de México, sean puestos inmediatamente en libertad y se les den pasaportes para regresar a sus casas; debiéndose poner en libertad, por parte del gobierno de Tejas, un número correspondiente de prisioneros mexicanos, del mismo rango y graduación, y tratando el resto de dichos prisioneros mexicanos que queden en poder del Gobierno de Tejas, con toda la debida humanidad, haciéndose cargo al Gobierno Mexicano por los gastos que hicieren en obsequio de aquéllos, cuando se les proporcione alguna comodidad extraordinaria.*
10. *El General Antonio López de Santa Anna será enviado a Veracruz tan luego como se crea conveniente.*

El acuerdo secreto establece:

> *Antonio López de Santa Anna, General en Jefe del Ejército de Operaciones y Presidente de la República Mexicana, ante el Gobierno establecido en Tejas, se compromete solemnemente al cumplimiento de los artículos siguientes, con la parte que le corresponde:*

1. *No volverá a tomar las armas, ni influirá para que se tomen en contra del pueblo de Tejas, durante la presente contienda de independencia.*
2. *Dictará sus providencias para que en el término más preciso salga del territorio de Tejas la tropa mexicana.*
3. *Preparará las cosas en el Gabinete de México par que sea admitida la comisión que se mande por el Gobierno de Tejas, a fin de que por negociación sea todo transado y reconocida la independencia que ha declarado la convención.*

4. *Se celebrará un tratado de comercio, amistad y límites entre México y Tejas, no debiendo extenderse el territorio de este último más allá del Río Bravo del Norte.*
5. *Siendo indispensable la pronta marcha del General Santa Anna para Veracruz, para poder ejecutar sus solemnes juramentos, el Gobierno de Tejas dispondrá su embarque sin pérdida de tiempo.*
6. *Este documento, como obligatorio a cada parte, deberá firmarse por duplicado, quedando cerrado y sellado hasta que, concluido el negocio, sea devuelto en la misma forma a S. E. el General Santa Anna, y sólo se hará uso de él en caso de infracción por una de dichas partes contratantes.*

Desde luego, Santa Anna firmó ambos acuerdos, y unos días después fue embarcado en el navío *Invencible*, que habría de llevarlo a Veracruz. El día de su partida sostuvo pláticas con Lorenzo de Zavala, y más tarde redactó una pequeña proclama, a modo de despedida, dirigida a los soldados texanos:

> *¡Mis amigos! Me consta que sois valientes en la campaña y generosos después de ella; contad siempre con mi amistad y nunca sentiréis las consideraciones que me habéis dispensado. Al regresar al suelo de mi nacimiento por vuestra bondad, admitid esta sincera despedida de vuestro reconocido.*

Apenas acabando de firmar esta "despedida", subió al barco un contingente en actitud violenta, al mando del jefe de una partida de voluntarios que provenían de Nueva Orleans, Thomas J. Green, mismos que tomaron por su cuenta la custodia del cautivo, poniéndolo en condiciones de secuestro.

Ante este incidente, Santa Anna envió una enérgica carta de protesta al presidente Burnet, en la que expresaba que dadas sus condiciones, consideraba terminado el compromiso consignado en los tratados. Sin embargo, el prisionero siguió bajo la custodia de Green, quien organizó una guardia con los hombres de su mayor confianza y lo envió a Columbia.

Santa Anna y sus compañeros pasaron días amargos en la prisión de Columbia, mientras que en la ciudad de México el gobierno hacía esfuerzos para ocultar la dimensión de la derrota del ejército en Texas; sin embargo, ante el hecho ineludible de la captura y prisión de Santa Anna, el vicepresidente Corro expidió un manifiesto diciendo:

> *La Providencia, cuyos decretos son inexcrutables, ha permitido que una cortísima parte de nuestro ejército haya experimentado un revés en Texas, mientras que las fuerzas mexicanas eran por todas partes victoriosas; pero lo más doloroso es que el ilustre presidente de la república, general Santa Anna, ha caído en manos de los enemigos de nuestra independencia. Grande es el sentimiento que ha recibido el gobierno con este suceso; pero aun es mayor la confianza que pone en vosotros, pues que ella se funda en el honor de esta nación heroica, y en los grandes recursos de qué echar mano el Gobierno.*
>
> *El ejército manifiesta un grito: "vengar a la patria y salvar su honor". No es probable que ocurran casos de connivencia en los enemigos exteriores, pero si ocurrieren, toda la severidad y energía de las leyes recaerá sobre los culpables. No dudo que los mexicanos, ligados por los más sagrados intereses, dejarán de dar una prueba de lo que vale el provocado valor de un pueblo grande y libre. El gobierno nada omitirá ni perdonará medio alguno para dar pruebas de que no ha jurado en vano salvar a la patria, y mantener sus augustos derechos.*

En esa misma instancia, el gobierno declaró que *...se continuará rigurosamente la guerra de Tejas... se solicitará la cooperación de cualquier nacional o extranjero para el logro de la libertad del presidente... sin embarazarse por ninguna estipulación que el presidente en prisión haya ajustado o ajustare con el enemigo.*

Cincuenta y dos días pasa el general prisionero, con grilletes en ambos tobillos y al otro extremo una bala de cañón del tamaño de una cabeza. En Washington se sabe que el gobierno mexicano ha decidido seguir con la guerra de Texas, y aunque se manifiesta una profunda pena por el cautiverio de su caudillo y presidente, todos los jefes están dispuestos a abandonarlo a su suerte

13

En Washington

En numerosas ocasiones Santa Anna pide su traslado a Washington, con objeto de dialogar con el presidente Jackson, lo que, a instancias del propio Jackson, se le concede, y el traslado a la capital de los Estados Unidos, contando con la aprobación del general Houston, quien confiaba en que el general Santa Anna en México llegaría a ser útil para la causa texana, pues, decía: ... *Si lo regresamos a su país, mantendrá a México en conmoción por algunos años, y Tejas estará a salvo.*

Las previsiones de Houston respecto de la utilidad de un Santa Anna vivo e incluso fuerte políticamente, se rectifican por lo expresado por el propio Santa Anna al presidente Jackson, en una serie de cartas en las que se define claramente su situación:

> ...*La continuación de la guerra y sus desastres serán, por consiguiente, inevitables, si una mano poderosa no hace escuchar oportunamente la voz de la razón. Me parece, pues, que U.* (el presidente Jackson) *es quien puede hacer tanto bien a la humanidad, interponiendo sus altos respetos para que se lleven a cabo los citados convenios, que por mi parte serán exactamente cumplidos.*
>
> ...*Cuando me presté a tratar con este Gobierno estaba convencido de ser innecesaria la continuación de la guerra por parte de México. He adquirido noticias exactas de este país,*

que ignoraba hace cuatro meses. Bastante celoso soy de los intereses de mi patria para no desear lo que mejor le conviene. Dispuesto siempre a sacrificarme por su gloria y bienestar, no hubiera vacilado en preferir los tormentos o la muerte, antes de consentir en transacción alguna, si aquella conducta resultase a México ventajosa. El convencimiento pleno de que la presente cuestión es más conveniente terminarla por medio de negociaciones políticas, es, en fin, lo que únicamente me ha decidido a convenir sinceramente en lo estipulado. De la misma manera hago a U. esta franca declaración.

Sírvase U., pues, favorecerme con igual confianza, proporcionándome la satisfacción de evitar males próximos y de contribuir a los bienes que me dicta mi corazón. Entablemos mutuas relaciones para que esta nación y la mexicana estrechen la buena amistad y puedan entrambas ocuparse amigablemente de dar ser y estabilidad a un pueblo que desea figurar en el mundo político, y que con la protección de las dos naciones alcanzará su objetivo en pocos años.

...Los mexicanos son magnánimos cuando se les considera. Yo les patentizaré con pureza las razones de conveniencia y humanidad que exigen un paso noble y franco, y no dudo que lo harán tan prontamente como obre el convencimiento.

... Por lo expuesto se penetrará U. de los sentimientos que me animan, con los mismos que tengo el honor de ser su muy adicto y muy ferviente admirador.

En esos meses, las cosas van cambiando en México, se extienden los rumores de que Santa Anna se encuentra en Washington con la finalidad de pactar con los americanos la independencia de Texas, y con ello traicionar los intereses de la nación mexicana. Los detractores de la política santanista comienzan su labor corrosiva en el gobierno con objeto de cambiar la Constitución y evitar que se vuelva a imponer la voluntad del "hombre fuerte" por encima de las leyes. Muchos de los antiguos partidarios de Santa Anna lo dan por muerto políticamente y se adhieren a la corriente renovadora, representada por Anastasio Bustamante, quien regresa de su exilio para colocarse virtualmente en el poder, a manera de presidente "interino", mientras se define la nueva Constitución, con lo que se pretende dar el golpe de gracia al santanismo.

14

El regreso

Las pláticas y componendas que Santa Anna pudiera haber hecho con Jackson en la Casa Blanca fueron privadas y de esas pláticas no queda documento alguno que pudiera comprometer a uno y otro; pero algo muy importante sí salió de ellas, por lo menos para el general Santa Anna, pues el presidente Jackson ordena su liberación y pone a su disposición la corbeta de guerra *Pioneer*, que lo traslada al puerto de Veracruz, en donde desembarca el 20 de febrero de 1837, ante la sorpresa de sus enemigos, la satisfacción de sus partidarios y la tranquilidad de los indecisos, quienes ven en la presencia del hombre fuerte una garantía de estabilidad. Quienes sobre todo manifiestan su alegría son los militares, que, desde la captura del caudillo han llevado crespones negros en su ropa y han colocado la bandera a media asta, todo en señal de luto, como si el presidente ya hubiese muerto.

Pero ahora revive y parece volver por sus fueros, frente a un gobierno desorganizado y débil. Veracruz está de fiesta para recibir a su "hijo predilecto"; una vez más las salvas y los cohetes, los repiques y los arcos triunfales; la gente se aglomera en el muelle para admirarlo y ovacionarlo. En el hotel donde se hospeda se le brinda un gran banquete; sus amigos están impacientes por colocarlo de nuevo en el poder.

Pero Santa Anna opta por su acostumbrada "salida de escena", lo que siempre le ha funcionado; por lo que, en el mismo evento, declara:

He tenido conocimiento de que, durante mi ausencia, el Soberano Congreso ha dictado una nueva Constitución, y deseo jurarla para evitar toda duda sobre mis propósitos, pues he de retirarme a la vida privada...

Ante el desconcierto de sus partidarios, él mismo organiza el acto público en el que habría de jurar la nueva constitución (cualquiera que esta fuera). Ante las autoridades civiles, militares y eclesiásticas, los notables de Veracruz y el pueblo, Santa Anna declara con voz llorosa:

Al volver a mi patria, constituida de nuevo, debo acatar su voluntad y acabo de jurarlo. Dios y mi honor, cuanto es más grande en los cielos y en la tierra, atestigüen siempre un deber tan grato para mí. Séalo para todos los mexicanos, y el Código Constitucional afirme así la paz y la felicidad de la nación.

En su hacienda de Manga de Clavo se dedica a redactar un detalladísimo "parte de campaña", en el que se explica cada uno de sus movimientos y sus órdenes durante la campaña de Texas. En este documento culpabiliza a Urrea por los fusilamientos masivos de los prisioneros texanos, y critica severamente al general Fisiola por haberle hecho caso cuando le ordenó la retirada, estando prisionero en San Jacinto; así va haciendo cargos a todos sus subordinados, desligándose de toda responsabilidad por la pérdida del territorio texano, que en estas memorias pareciera ser la última de sus intervenciones políticas y militares, como ahí mismo expresa: *El término de mi carrera política ha llegado.*

Por supuesto, nadie le cree. Sin embargo se celebran nuevas elecciones presidenciales y Anastasio Bustamante sube al poder el 19 de abril y los rencores políticos se recrudecen, produciéndose nuevos levantamientos en San Luis, Río Verde, Ixtlahuaca, Nuevo México y Sonora. La facción inclinada al federalismo llama a Valentín Gómez Farías con objeto de crear un poder alternativo; pero el nuevo presidente, Bustamante, se le adelanta y lo toma prisionero, con lo que puede paliar temporalmente los desenfrenos políticos que asolan al país, ante la mirada satisfecha y tranquila de Santa Anna, quien se comporta como un perfecto animal de presa, sin un solo movimiento, sin una palabra, esperando pacientemente en su refugio a que, una vez más, llegue su momento.

15

La guerra de los pasteles

En un restaurante que había por el rumbo de Tacubaya, propiedad de un francés de nombre Remontel, una noche varios oficiales del ejército, que andaban de juerga, decidieron comerse unos pasteles gratuitamente, para lo cual encerraron a monsieur Remontel en un cuarto de la misma casa y dieron cuenta de los pasteles a su antojo.

Este incidente dio nombre a la famosa "guerra de los pasteles", aunque no fue el único hecho que la produjo, pues antes habían ocurrido varios hechos que se consideraban en agravio de ciudadanos franceses, de manera que al producirse el delito en contra del pastelero, y no haberse procedido legalmente en contra de los delincuentes, la cancillería de Francia decidió cobrarse todas las ofensas juntas, solicitando airadamente al gobierno de México una serie de indemnizaciones que, en suma, alcanzaban la estratosférica cantidad de seiscientos mil pesos, petición que no fue hecha solamente por la vía diplomática, sino por la vía de hecho, pues la demanda se presenta en condiciones de *ultimátum* por parte de una escuadra naval francesa que se ha situado frente a las costas de Veracruz, donde el comandante, M. Bazochet, deseoso de entrar en acción, agrega al ultimátum una serie de cláusulas de muy difícil cumplimiento, como:

Que México dé al comercio y a la navegación de Francia el tratamiento de la nación más favorecida; que se comprometa a no necesitar nunca de empréstitos de guerra de súbditos de S. M. Que no ponga coto para que los comerciantes franceses vendan al menudeo en los mimos términos que los nacionales, y que todas las autoridades judiciales tengan en consideración la nacionalidad francesa en los pleitos por dinero.

Comienza entonces una serie interminable de negociaciones con los diplomáticos franceses acreditados en México y con las autoridades de la flota naval, que de hecho tiene sitiado el puerto de Veracruz, impidiendo el acceso de los barcos mercantes.

Finalmente, ante la negativa del gobierno mexicano de cumplir con sus demandas, la flota francesa comienza el asedio de la ciudad, concentrándose en la fortaleza de San Juan de Ulúa.

El general Santa Anna, sin ser llamado, acude al lugar de los hechos y llega hasta San Juan de Ulúa, donde los defensores se encuentran ya en pláticas con los franceses, pues sin poder resistir más, han decidido capitular, aunque buscando lograr las mejores condiciones. Santa Anna es invitado a presidir las negociaciones. El general Francés Baudin propone que se le entregue el fuerte de Ulúa en señal de triunfo, que las autoridades mexicanas conserven el control de la ciudad, limitándose la fuerza militar a mil hombres, y que se suspendan las hostilidades por un periodo hasta de ocho meses, mientras se continúan las negociaciones para solucionar las demandas del gobierno francés.

Santa Anna acepta las condiciones de la capitulación, pero, como es su costumbre, no se compromete en el acto, haciendo que sea el general Rincón, comandante del fuerte, quien firme el acta.

El treinta de noviembre el presidente de la república desconoce el tratado (llamado Rincón Baudin), llamando traidores a los defensores del fuerte y llamando a los jefes militares de la plaza de Veracruz para someterlos a un consejo de guerra. Esa misma noche, Bustamante da a conocer la declaración de guerra en contra de S. M. Luis Felipe, rey de Francia.

También esa misma noche, el presidente envía un correo extraordinario hacia Manga de Clavo, con una orden para que el general de división Antonio López de Santa Anna se encargue del mando de las tropas mexicanas y proceda de inmediato a la ofensiva. A su arribo a Veracruz, Santa Anna asume el mando de inmediato y su primera acción es redactar un oficio en el que le comunica al general Baudin que el Supremo Gobierno de la república ha desconocido la capitulación y que la guerra contra Francia está declarada. Reúne a los jefes y oficiales para darles igual informe y encuentra que todos son partidarios de que se continúe con la tregua, en razón de que se consideran inhabilitados para defender la ciudad, dado que los franceses, a pesar de los tratados, han reforzado su flota con el arribo de nuevos barcos, mientras que las tropas de Veracruz carecen incluso de suficiente parque. El general Santa Anna se indigna ante la actitud de los jefes y ordena que se defenderá la plaza a toda costa.

Baudin recibe la noticia con tranquilidad, confiando en la gran superioridad de sus fuerzas, y sobre todo en el hecho de que los mexicanos se encuentran imposibilitados para bombardear sus naves, dado que el fuerte está tomado y sus cañones inhabilitados. Declara que puede comenzar el cañoneo de inmediato sobre la ciudad, pero en vez de ello envía a un representante ante los jefes de la ciudad para comunicarles que está dispuesto a usar la fuerza, pero que no lo hará, sino solamente en el caso de que los franceses residentes en el puerto sean molestados. Santa Anna responde que se respetarán escrupulosamente los bienes y las personas de los franceses del puerto, con lo que de hecho se establece un armisticio.

Sin embargo, la noche siguiente, el general Baudin redacta las órdenes para que una columna de mil hombres, armados y apoyados por la artillería, desembarque en la ciudad al amanecer, siendo su misión el desmantelamiento de los baluartes, el clavar la artillería en el puerto y sobre todo aprehender a Santa Anna para llevarlo a bordo.

Sin encontrar oposición, los franceses dan un golpe rápido y certero sobre la ciudad y llegan a la casa en la que dormía el general Santa Anna, quien despierta con el ajetreo y alcanza a escabullirse, mientras los soldados franceses aprehenden al general Arista, creyéndolo Santa Anna. Las escaramuzas de guerra se generalizan por toda la ciudad y Santa Anna va de un lado a otro, disponiendo las barricadas para la defensa y la organización de las tropas. A las diez de la mañana suena desde los barcos la orden de repliegue. En esta ocasión no será posible capturar a Santa Anna, por lo que los franceses prefieren retirar a sus hombres, que ahora son perseguidos, con el general Santa Anna a la cabeza, montado sobre su hermoso caballo blanco. Pero los franceses protegen su retirada con un cañón colocado en el extremo del muelle y cargado con metralla. Suena un disparo a cien pasos y el caballo blanco del general Santa Anna cae mortalmente herido; muere el capitán Campomanes, el alférez Solís y siete soldados más. Santa Anna yace en tierra con la pierna izquierda rota y sangrando de la mano del mismo lado, pues ha perdido uno de los dedos y queda desmayado, mientras sobre la ciudad llueve el fuego enemigo, en andanadas constantes durante dos horas.

Tendido en una camilla en el hospital, Santa Anna dicta el parte al presidente de la república, haciendo una larga historia llena de pasajes heroicos en la que las tropas francesas son repelidas con gran valentía por los soldados mexicanos y por su jefe, quien yace ahora mortalmente herido, pues en las últimas líneas de su comunicado da la impresión de que al firmar el documento habrá de morir irremediablemente:

Al concluir mi existencia no puedo dejar de manifestar la satisfacción que también me acompaña, de haber visto prin-

cipios de reconciliación entre los mexicanos. Di mi último abrazo de reconciliación al general Arista, con quien estaba, desgraciadamente, desavenido, y desde aquí lo dirijo a S. E. el Presidente de la República, por haberme honrado en el momento de peligro; lo doy asimismo a todos mis compatriotas...

Pido también al Gobierno de mi patria que en estos mismos médanos sea sepultado mi cuerpo, para que sepan todos mis compañeros de armas que ésta es la línea de batalla que les dejo marcada...

Los mexicanos todos, olvidando mis errores políticos, no me nieguen el único título que quiero donar a mis hijos: el de buen mexicano.

Mientras dicta esta carta de quince folios, con tono patético y obviamente dolorido, los oficiales a su alrededor no pueden contener el llanto; y llora también el presidente de la república al recibir el parte, pues supone que en esos momentos el caudillo ya estaría muerto.

16

La dictadura

Pero el caudillo sigue vivo y, como siempre, atisbando desde su refugio de Manga de Clavo los acontecimientos del país, que no podían ser más caóticos, pues a pesar de la guerra de los pasteles, los pronunciamientos están a la orden del día y la oposición al presidente Bustamante campea en el seno mismo del gobierno. El once de diciembre renuncian todos los ministros, con lo que el país queda sin gobierno durante tres días, pues en el sistema centralista no es el presidente, sino el gabinete, el que rige al país. Los federalistas reaccionan violentamente, liberan al general Gómez Farías de su prisión e irrumpen en las sedes del Congreso, que se niega terminantemente a derogar el sistema centralista. El general Urrea, quien combatió contra los texanos, se une al general Mejía, quien favoreció la independencia de Texas, y se levantan en armas en el puerto de Tampico. El presidente Bustamante decide ir personalmente a batirlos, mientras el partido conservador ve en Santa Anna su salvación y lo llama para que ocupe la presidencia de manera interina.

Una vez más, y como si nada hubiera pasado en Texas, las autoridades y el pueblo de la ciudad de México se vuelcan jubilosas a las calles para recibir al caudillo, quien espera a que sea domingo, para hacer su entrada triunfal en medio de un desfile de gala y al son del himno recién compuesto en su honor. El héroe de Veracruz va recostado en una litera, dejando ver la ausencia del pie en la pierna izquierda. Viene pálido y demacrado, apenas tiene fuerzas para contestar a los vítores del pueblo. Nunca un personaje había realizado un tal sacrificio para llegar a la presidencia de la república. Los poetas lo elevan al grado de lo sublime. Aunque, por su lado, los liberales y federalistas no pierden la oportunidad de estos actos públicos para hacer circular panfletos en los que se recuerdan los acuerdos de San Jacinto y la actitud de Santa Anna en Washington.

Al observar el recibimiento de Santa Anna, Bustamante prefiere suspender su campaña, pues entiende que el caudillo ha recuperado su popularidad y su propio poder queda en entredicho. Más cuando se entera de que, sin haber tomado todavía la presidencia interina, Santa Anna ya ha convocado a una reunión con diputados, senadores, ministros, generales y representantes del alto clero, para discutir una serie de reformas a la Constitución.

En estas circunstancias, Bustamante hace correr la voz de que no marchará de campaña y continuará en la presidencia de la república. Cuando acude a la casa de Santa Anna para comunicarle su decisión, éste no le permite tocar el tema, y antes le dice:

—Yo no he llegado aquí para quitar a usted del puesto que ocupa. He sido traído sin pretenderlo. Pero le aconsejo como amigo que se vaya a Tampico, porque si no el mal tomará mucho cuerpo, y cuando quiera usted ya no podrá remediarlo... si usted no va, iré yo.

Ante estas palabras, Bustamante se apena y se marcha al frente de sus tropas, con lo que el caudillo asume la presidencia de la república por quinta vez.

Pero el país sigue en estado caótico, se generaliza la guerra civil, sublevaciones en todos lados. Se afirma la independencia de Texas por el reconocimiento de Francia, y tácitamente de los demás países europeos. Yucatán y Campeche se declaran independientes de México y concertan una alianza con Texas y otras regiones del sur pretenden unírseles.

En estas condiciones, Santa Anna prefiere dejar el gobierno en manos de su legítimo titular y por supuesto se retira a su hacienda de Manga de Clavo, para evitar el desprestigio que ahora recae sobre Bustamante, quien reacciona desesperadamente, con toda clase de medidas represivas, y sobre todo con la imposición de nuevos aranceles y contribuciones que le permitan remontar la ruina financiera.

Cada acto del gobierno, ya sea sobre impuestos, educación, restricciones al culto, o represión política recaen sobre Manga de Clavo, con la reiterada petición de que una vez más Santa Anna "salve al país". En medio de la rebelión, Bustamante dimite y marcha al exilio; Santa Anna promueve la creación de una Junta de Gobierno que actuará como un gobierno provisional, mientras se nombra un presidente sustituto; después de mucho deliberar, dicha Junta nombra como presidente nada menos que al general Antonio López de Santa Anna, quien asume el poder por sexta vez.

Cuando presta el juramento de rigor, Santa Anna afirma que se inicia para el país una época gloriosa y brillante, pues el despotismo ha caído para siempre.

Pero el despotismo va y viene de Manga de Clavo a la ciudad de México, por lo que en octava ocasión, el 4 de julio de 1844, Santa Anna ocupa la presidencia del país en medio de la turbulencia política, ahora agravada por la actitud hostil de los Estados Unidos. La nube de una guerra extranjera cubre al país sin que ningún esfuerzo pueda disiparla, pues los grandes especuladores, los políticos y los militares de Washington han puestos ya sus ojos en los territorios del Norte y no cejarán en su empeño para anexárselos.

Ese mismo año, doña Inés de la Paz, la oscura y sufrida esposa del caudillo muere en la ciudad de México, y el general se retira a Manga de Clavo, "para enjugar las lágrimas de sus hijos".

Sin embargo, unos meses después, y sin que el general hubiese regresado de su retiro, llega a las casas de los personajes más notables de la ciudad la siguiente invitación:

> *El jueves tres del presente septiembre, a las siete de la noche, se celebrará en el salón principal del Palacio Nacional el matrimonio del Excelentísimo señor Presidente Constitucional de la República, general de División, Benemérito de la Patria, don Antonio López de Santa Anna, con la Excelentísima señora doña Dolores de Tosta. El presidente interino, general de División don Valentín Canalizo, que tiene el honor de apadrinarlo, suplica a V. se sirva dar lustre a tan augusta ceremonia con su presencia.*

Pero el excelentísimo presidente no se encuentra presente en su boda con la excelentísima dama, sino que es desposado por poder. El banquete dura hasta el amanecer, y solamente se suspende cuando la joven desposada, Dolores de Tosta, emprende el viaje hacia la hacienda de su señor marido.

Poco dura aquella luna de miel, pues el general Paredes Arrillaga se levanta en armas en Jalisco, por lo que el caudillo sale a campaña, por fuero propio y sin que nadie se lo pida.

Aquella determinación unilateral de Santa Anna ofende a las autoridades de México, pues la iniciativa es a todas luces anticonstitucional, a pesar de que la realice el propio presidente. El vicepresidente Canalizo, fiel servidor del caudillo, toma lo que le parece una vía expedita para solucionar el descontento y disuelve el Congreso, con la mira de tomar el mando sin restricciones; pero Canalizo no era el "hombre fuerte", sino un burócrata de medio pelo, por lo que rápidamente se gana la animadversión de los sectores fuertes de la política, incluyendo a los militares resentidos, con ello se pronuncia en rebeldía la guarnición de México, desconociendo al presidente Santa Anna y acusándolo de traidor; la turba enardecida, misma que vitoreaba al caudillo cada vez que entraba o salía de la ciudad, ahora lanza "mueras", mientras derriba su estatua y rompe sus retratos, incluso en esa ocasión se violó el cenotafio de Santa Paula, donde descansaba, a modo de reliquia, el pie del general, el que le había arrancado la metralla francesa.

Por todas partes cunde el odio hacia quien ahora se percibe como un vil dictador. Santa Anna reacciona y emprende la marcha hacia la ciudad de México, tratando de engrosar sus filas con el oro que toma por fuerza de las minas de Guanajuato, arrasa con el dinero de la feria de San Juan de los Lagos y con todo lo que se puede agenciar a su paso. Tiene doce mil soldados y cien cañones, con los que puede tomar la plaza de la ciudad de México en menos de una hora, pero la gente ya no cree en él y en el trayecto va perdiendo soldados por deserción. Menguadas sus fuerzas decide cambiar el rumbo y marchar hacia Puebla, pero la inmensa mayoría de su ejército ya lo ha abandonado cuando llega a la sierra, por lo que decide huir e internarse en el bosque, acompañado solamente por dos soldados y su cocinero.

En lo más profundo de la sierra es detenido por unos indios armados que lo llevan a Jalapa y lo entregan a las autoridades, que a su vez lo envían a Perote, a donde viajan jueces y secretarios para formarle juicio por traición, buscando los elementos jurídicos que les permitan mandarlo fusilar.

Mientras tanto, en México, la presidencia es asumida por un exboticario de nombre José Joaquín de Herrera, quien intenta dar coherencia y estructura en medio del caos político. En esas circunstancias, el juicio de Santa Anna se alarga y los ánimos se van enfriando, pues ahora los odios pueden canalizarse hacia el nuevo presidente, mucha gente ahora comienza a compadecerse del prisionero y éste se libra por lo menos del cadalso, aunque no de los cargos que se le imputan.

Ante la posibilidad de que el caudillo recupere su prestigio, el Congreso decide conmutar la pena de fusilamiento por la de destierro, por un periodo de diez años. Así que el prisionero es llevado en custodia, por ochocientos hombres fuertemente armados con rumbo a Veracruz, donde abordará el vapor inglés *Midway* el 5 de junio de 1845, con rumbo a la Habana.

Ese mismo día, en la ciudad de México, la Mitra celebra una gran función, que dura desde las nueve de la mañana hasta las dos de la tarde, como un acto de acción de gracias por la caída del dictador y el término del despotismo.

17

La guerra con Estados Unidos

El 1º de marzo de 1845, el congreso norteamericano declara la anexión de Texas, y el ministro mexicano en Washington, Juan N. Almonte, protesta airado y se retira, lo que indica una ruptura de relaciones, por lo que el ministro americano en México también pide sus pasaportes.

El gobierno del boticario José Joaquín de Herrera se tambalea y él prefiere renunciar ante las presiones de los militares que están bien dispuestos a caer en las provocaciones de Washington. Uno de ellos, Paredes Arriaga, se levanta en armas en San Luis Potosí, aparentemente reclutando tropas para la defensa del país en caso de agresión por parte de los Estados Unidos, pero en realidad marcha hacia la ciudad de México y en medio de la desorganización civil y militar logra la presidencia de la república.

Los Estados Unidos movilizan su armada para bloquear los puertos de México. El general Zacarías Taylor se ha instalado en Texas y se moviliza hacia la frontera, la situación es en extremo tensa, incluso en la política interna de ambos países, pues en ellos hay muchos que son partidarios de la guerra, pero muchos otros preferirían un arreglo pacífico, se dice que entre estos últimos se encuentra Polk, el presidente de los Estados Unidos.

Un día de febrero de 1846, un caballero mexicano, de nombre Atocha, pide una audiencia con el presidente Polk, en Washington. Él asegura ser representante del general Santa Anna y que éste está en la disposición de aceptar el apoyo americano para regresar a la presidencia de México, y de esa manera evitar la guerra y satisfacer los intereses de los Estados Unidos.

El presidente confiesa el no tener la menor confianza en el misterioso enviado, pero seguramente considera interesante su oferta, pues envía a un representante suyo a la Habana, el comandante McKenzie, para dialogar directamente con Santa Anna y, por si fuera el caso, le envía un salvoconducto firmado de su puño y letra para que pueda desembarcar en Veracruz al amparo de la flota americana. Eso parece suficiente para el caudillo, por lo menos es una ventaja momentánea; cualquier otro arreglo que se hubiera podido tener con Polk ha quedado en la oscuridad de la historia.

Mientras tanto comienzan las escaramuzas y las provocaciones en la frontera con Texas y la guerra ya parece un hecho. El gobierno de Paredes no presenta la fortaleza y la capacidad suficiente como para hacer frente a la posible invasión, por lo que, una vez más, el ejército acuerda y firma una petición dirigida a Santa Anna para que restablezca la constitución de 1824 y acaudille la defensa del territorio nacional.

La guarnición de la ciudad de México pone preso a Paredes y lo envía a Perote, donde ocupará la misma celda que Santa Anna. Nicolás Bravo es nombrado presidente interino, aunque por muy corto tiempo, pues los militares partidarios de Santa Anna prefieren colocar en la silla presidencial al general Mariano Salas, quien es incondicional de ellos. Con estos movimientos políticos, se limpia el terreno para el regreso del caudillo.

Santa Anna llega a Veracruz el 16 de agosto, en el vapor mercante inglés *Arab*, al amparo del salvoconducto del presidente Polk, y es recibido en el puerto de una manera fría, casi hostil, por lo que comprende que se le ha llamado porque la situación nacional es en extremo grave y no porque se haya restaurado su prestigio.

En vista de esa situación, Santa Anna pretexta estar muy enfermo y se dirige a su nueva hacienda, llamada el *Encero*, donde espera que la situación del país empeore, como es de esperarse, y él se convierta en una pieza indispensable.

Finalmente se decide a viajar a México, pero prefiere hacerse el difícil y se instala en el cercano pueblo de Tacubaya, a donde llegan comisiones del gobierno y los federalistas para suplicarle que se traslade a la ciudad, pero él se considera resentido por el trato indiferente y oficioso que hasta el momento se le ha dado. Para estimularlo y comprometerlo, el general Salas emite un decreto, anunciando que Santa Anna ocupará la presidencia en cuanto llegue; él contesta que de cualquier manera no entrará a la ciudad; entonces Gómez Farías le hace una arenga privada en la que le da a entender que se consideraría un rompimiento con el pueblo el que no entrara en la ciudad, con lo que finalmente cede y hace su entrada, que en esta ocasión dista mucho de ser triunfal: ni una salva, ni un repique de las campanas; por las calles solitarias avanza el convoy de carruajes con rumbo al Palacio Nacional, en medio del silencio.

Santa Anna se mantiene firme en no ocupar la presidencia, y prefiere dedicarse de inmediato a la organización del ejército, contando con veinticinco mil hombres, lo que es un contingente respetable, pero se encuentra con que en la Tesorería tiene un fondo de mil ochocientos treinta y nueve pesos, por lo que entiende que su tarea prioritaria es el conseguir el financiamiento para sostener un ejército poderoso en pie de guerra.

La invasión norteamericana ya se ha generalizado en el norte del país, las ciudades importantes van cayendo una a una; con la toma de Monterrey, la situación de la defensa del norte se hace insostenible y los invasores logran adentrarse rápidamente en el territorio nacional. Los ejércitos de avanzada solicitan desesperadamente refuerzos; pero de la ciudad de México no parte ningún soldado y las energías se pierden en la lucha política, definiéndose dos grandes partidos de tendencias distintas, pero en las condiciones de gran tensión que se viven solamente se pueden identificar como "radicales" y "moderados". Santa Anna juega con los dos bandos, como lo ha hecho siempre, pero ahora las condiciones drásticas de la guerra en contra de un enemigo poderoso dificultan el histrionismo y la simulación.

Llega el momento en que se tiene que elegir presidente y vicepresidente. Un poco forzados por la necesidad de contar con el hombre fuerte, los grupos coinciden en nombrar presidente, una vez más, a Antonio López de Santa Anna, y la disputa se concentra en la vicepresidencia, lo que se convierte en una enconada lucha entre las facciones, hasta que finalmente la balanza se inclina por Gómez Farías, quien asume el poder en medio del desastre financiero. El gobierno se declara incapaz de financiar a las fuerzas de Santa Anna y éste tiene que desplegar sus habilidades crediticias, lastimando los intereses de mucha gente; pero aún no basta para el sostenimiento de una campaña de guerra.

A principios de enero, el Congreso expide una ley para que los bienes que el clero tiene arrendados a particulares paguen una renta al gobierno. El clero reacciona con una andanada de excomuniones y anatemas en contra de los gobernantes "enemigos de Dios", y establecen alianzas con los moderados, conservadores y monarquistas. Siendo los miembros del gobierno excomulgados, los arrendatarios asumen como un deber cristiano el no pagar los impuestos, por lo que de ellos no se recibe nada. Desesperado, Gómez Farías decreta que se vendan bienes del clero hasta por cuatro millones de pesos y esa medida en algo salva la situación inmediata del gobierno, pero no se alcanza la cuota fijada y no queda nada para el sostenimiento del ejército.

Exasperado, Santa Anna no espera más, y se pone en marcha hacia el norte el 28 de enero de 1847; va al frente de una columna compuesta por diez y ocho mil hombres, durante el trayecto el frío va causando bajas, algunos muertos y muchas deserciones. Durante esta marcha, Santa Anna recibe un correo de México en el que se le informa que se está tramando una revolución para derrocar a Gómez Farías. Con esta agitación y con el deterioro de sus tropas, avanza para enfrentarse a las fuerzas del General Taylor, que han tenido seis meses de reposo.

Santa Anna encuentra al enemigo en la región de La Angostura, llamada así por ser una serie de colinas que forman estrechos senderos. Las fuerzas de Taylor se encuentran dispuestas en posiciones que el general Taylor supone estratégicas, pues ha colocado gente suya en lo alto de cada una de las colinas, lo que es un grave error, pues Santa Anna concentra el grueso de sus fuerzas para asaltar una por una las colinas, obteniendo una serie de triunfos parciales, que inclinan la balanza a su favor. Sin embargo los asaltos son muy costosos en vidas para el ejército mexicano y cunde la desmoralización e incluso la deserción.

Con sus fuerzas menguadas, Santa Anna ve que el enemigo se reorganiza para atacar masivamente, lo que resultaría nefasto para las tropas mexicanas. Pero la suerte favorece al general mexicano, pues Taylor, tal vez desmoralizado por la derrota parcial que ha sufrido, envía parlamentarios con la intención de pactar un armisticio, a lo que Santa Anna se niega, diciendo que no puede haber arreglo alguno mientras el país se encuentre invadido. Mientras los parlamentarios regresan a sus bases, las tropas mexicanas emprenden la retirada.

De ahí en adelante, ya nada podrá detener el avance de los americanos; Santa Anna declara que defenderá la ciudad de México, a pesar de que el Congreso ha decidido entregarla de hecho al decretar el traslado de los poderes de la república a Querétaro. Santa Anna hace caso omiso del decreto y se dispone a defender la ciudad de México, concentrando y reorganizando sus tropas.

Las fuerzas norteamericanas rodean la ciudad buscando el punto más débil; el 19 de agosto los americanos se concentran en la zona de Lomas de Padierna, cuya defensa está a cargo del general Valencia, quien inicia la ofensiva, desobedeciendo las órdenes de Santa Anna, que había decidido que fueran los americanos los que tomaran la iniciativa.

Una columna americana ataca de frente y ocupa el caserío de Padierna y finalmente llega al bosque de San Jerónimo, donde se ha parapetado Valencia, quien resiste con eficiencia el embate del enemigo, a pesar de su inferioridad numérica.

En esos momentos aparecen en el lomerío inmediato las tropas de Santa Anna, al mando del general Pérez; el ejército americano parece haber caído en una trampa y ahora se encuentra a dos fuegos y a descampado, lo que significa su inminente derrota.

Pero Santa Anna ordena al general Pérez que no ataque, y montado en su caballo blanco, desde lo alto mira cómo Valencia se enfrenta solo a los enemigos.

El general Scott, comandante de las fuerzas americanas, se encuentra desconcertado, tal vez piensa que el general mexicano está jugando con él como el gato con el ratón que tiene acorralado, él sabe que si las tropas de Santa Anna atacan desde lo alto, apoyadas por la artillería, tendrá que iniciar la retirada hacia Puebla en las peores condiciones.

Pero la espada del general Santa Anna permanece enfundada y él observa desde lo alto lo que debiera ser la derrota de Valencia y la masacre de sus hombres. Pero Valencia se bate heroicamente, y en lucha cuerpo a cuerpo rechaza al enemigo y recupera Padierna al caer la tarde.

Noche de entusiasmo, la división del Norte tiene pocas pérdidas; aunque escasos de parque, los soldados confían en sus bayonetas, esperando que la batalla que seguramente se librará el día siguiente les sea favorable y ahora puedan contar con refuerzos. Pero a las dos de la mañana se presentan dos oficiales del general presidente, con la orden precisa de que Valencia y su División se retiren al amparo de la oscuridad, lo que causa la encolerizada negativa del general Valencia.

Los comisionados regresan a dar su parte a Santa Anna, y más tarde uno de ellos regresa a Padierna con la orden lacónica y terminante de la retirada. Valencia se rehúsa a obedecer la orden y sus oficiales lo secundan, seguirán luchando aun en contra de las órdenes del presidente de la república.

En la madrugada se retiran las tropas del general Pérez que ocupaban el lomerío, y los americanos, confiados en que Santa Anna no los molestará, cargan furiosamente sobre Padierna. La artillería americana concentra su fuego sobre las tropas de Valencia y causa verdaderos desastres, mientras, desde lo alto, el general Santa Anna observa el triunfo de Scott y anuncia que hará fusilar a Valencia por desobedecer sus órdenes.

El general Valencia, con unos cuantos soldados, logra huir, tanto de los americanos como de la furia implacable de su jefe.

Los americanos se desplazan hacia la ciudad y llegan a Churubusco, donde se ha instalado un punto de defensa en el viejo convento, con una sola pieza de artillería. La plaza se encuentra al mando de dos generales: Pedro María Anaya, ex presidente de la república y Manuel Rincón.

Santa Anna llega a la plaza con cinco mil hombres e instala otros cinco cañones; ordena a los defensores del convento que resistan hasta el último de sus hombres y se retira con sus fuerzas, dejando solamente a seiscientos voluntarios, sin instrucción militar y mal armados.

Ataca la división Twiggs, reforzada por otras; el convento queda cercado. Los defensores resisten valerosamente; al terminarse el parque buscan el que les había dejado

Santa Anna; pero resulta que las balas son de diecinueve adarmes, cuando las balas son de un menor calibre; abren otras cajas y encuentran cartuchos de salva, sin balas.

Una explosión del parque de artillería mata un oficial y cinco soldados. El general Anaya queda momentáneamente ciego pero se niega a retirarse. La defensa continúa como se puede.

De pronto el convento queda en silencio; los americanos se sorprenden, esperan unos minutos y avanzan cautelosamente; el capitán Smith es el primero en saltar sobre el parapeto: en el centro del patio los mexicanos están formados como para revista, sus oficiales al frente, los dos generales delante de todos.

Los americanos suspenden el fuego; llega el general Twiggs y pregunta al general Anaya dónde está el parque; y él responde:

—Si hubiera parque no estaría usted aquí.

Las derrotas de Padierna y Churubusco fueron decisivas para definir la guerra de intervención; pero para los americanos fueron victorias pírricas, pues sus bajas fueron extraordinarias: *Con otras tres victorias como Padierna y Churubusco se nos acaba el ejército,* escribe el general Woth a Scott. En el caso de Churubusco, para tomar una plaza defendida por seiscientos hombres sin entrenamiento, los americanos pierden ochocientos.

Pero el desánimo es muy grande para los mexicanos; la confusión y el desorden se han apoderado de todas las clases de la sociedad.

Al recibir el parte de Churubusco, Santa Anna reúne a los ministros y les relata a su modo la situación, deduciéndose que es necesario un armisticio. Scott se adelanta y aparece como quien lo propone. Se establecen los términos del armisticio y se convoca a los diputados para que lo ratifiquen, pero no se reúne el *quorum* suficiente para que el acto tenga validez oficial; los políticos prefieren dejar toda la responsabilidad en manos de Santa Anna.

Con las tropas americanas viene Nicolás P. Trist, quien posee los poderes necesarios para negociar con el gobierno de México. En las negociaciones subsecuentes Trist ofrece, además del cese de hostilidades y la retirada del ejército americano, una compensación en efectivo por los territorios del Norte que se pretende incorporar a los Estados Unidos: Texas, las dos californias, Chihuahua, Coahuila, Tamaulipas y parte de Sonora. Probablemente con base en un acuerdo previo, Santa Anna rechaza la propuesta, y rápidamente el embajador Trist rebaja sus pretensiones a Texas, la alta California y una franja de Sonora.

La guerra está de hecho perdida, pero comienza la guerra política interna, y las baterías se apuntan hacia Santa Anna mientras los americanos deciden romper el armisticio y atacar la ciudad de México. Tras organizar una desesperada e ineficaz defensa, Santa Anna huye hacia Teotitlán, hasta donde lo sigue el general Hugues, pero no para aprehenderlo, sino para darle un salvoconducto y escoltarlo hasta Veracruz.

El general Santa Anna se embarca hacia el destierro el 9 de abril de 1848.

18

El exilio

Ahora es la isla de Jamaica donde se recibe al dictador, aunque el ambiente británico que prevalece en Kingston, y sobre todo el idioma, resultan desagradables para el general y su familia, por lo que después de dos años se trasladan a Cartagena, en Colombia, de ahí se traslada al pequeño pueblo de Turbaco, en donde vivió Simón Bolívar, compra la casona que habitó el libertador y se instala en ella, lo que es un acto simbólico, el ensueño de un megalómano

Mientras tanto, en México, las turbulencias políticas siguen como siempre; el presidente de la Peña y Peña deja la silla para que la ocupe José Joaquín de Herrera, a quien le toca cobrar, y gastarse, los millones de pesos que los americanos pagan, para cubrir el hecho histórico de su despojo y disfrazarlo de una compra-venta. En medio del reclamo popular, el general Mariano Arista entra a gobernar, aunque sin apoyo de las cámaras y del ejército, su gobierno es ficticio, pues ya nadie le hace caso al presidente, por lo que rápidamente renuncia y lo sucede en el cargo el magistrado Juan B. Ceballos, quien toma la drástica decisión de disolver al Congreso y convocar a nuevas elecciones, en las que sale triunfador Lombardini, quien es el representante más puro de los que añoran la presencia del "hombre fuerte", por lo que no tarda en enviar una comisión del gobierno hacia Turbaco para entrevistarse con Santa Anna y sondear su disposición para regresar a México.

Desde luego, Santa Anna se niega de principio a volver a México y entrar de nuevo en la política; pero despide a los comisionados con las siguientes palabras: *No quiero que la historia diga que cuando fui llamado a ser la felicidad de mi pueblo, fui indiferente a su destino.*

El 1º de abril de 1853, un pequeño navío, llamado *Avon* llega al puerto de Veracruz, y al atracar suenan los cañones de Ulúa en señal de saludo. Resuenan los aplausos, los vítores; repican las campanas de todas las iglesias y el pueblo se arremolina en las calles.

En el Encero, Santa Anna elabora su plan de gobierno, lo que no puede desembocar en otra cosa que no sea la dictadura, apoyándose en los dos grandes poderes de México: la Iglesia y la milicia, para poder gobernar con mano dura, dejando al margen a los políticos, intelectuales y burócratas. Se establece en Palacio Nacional con el boato de una corte europea y se entroniza a la manera de los monarcas absolutistas, estableciendo su voluntad como la ley primera y última. En medio de esta prepotencia es capaz de cualquier cosa, como fue la venta, decidida y cobrada por él mismo, de un valle fronterizo llamado *La Mesilla,* por el que los Estados Unidos prometieron pagar veinte millones de pesos y finalmente entregaron solamente seis.

La descarada venta de La Mesilla causa una verdadera indignación entre las clases dirigentes, quienes ya no podían disfrazarse a sí mismos el acto como un hecho de guerra; por lo que se comienza a presionar a Santa Anna para que cumpla el acuerdo que se firmó para que él viniera a México, y que era la reorganización del gobierno, durante el plazo de un año, después del cual se convocaría al Congreso y se redactaría una nueva constitución. Pero Santa Anna ya no está para congresos ni constituciones, por lo que inventa una serie de pronunciamientos de los militares en diversos estados, en los que se le suplica que no abandone el poder, y se instale como dictador vitalicio para asegurar la estabilidad de México.

La guarnición de Guadalajara inicia la acción, proclamando el mando único e ilimitado; pero en otros Estados las propuestas son más radicales y serviles; en Puebla se propone que en vez de presidente se convierta en *Gran Elector* y tenga el supremo grado militar de *Gran Almirante y Mariscal de los Ejércitos,* además de que reciba el trato de *Alteza Serenísima*; en Tlaxcala se le pide que gobierne "según su inspiración y voluntad"; en Santa María Tlapacoyan y en San Juan del Mezquital las actas de pronunciamiento piden para él el título de *Emperador Constitucional*. Con espíritu de modestia, Santa Anna rechaza todos los títulos, quedándose únicamente con el de *Alteza Serenísima,* aunque: *...no por complacencia personal, sino para dar mayor carácter al Presidente de la República.*

Pero los federalistas y liberales no pueden aceptar pasivamente la instalación *ad perpetuam* de la dictadura santanista, y, apoyándose en la gran insatisfacción popular, a causa de las carencias, se levantan en armas por todos lados. El dictador ya no tiene el brío para combatir personalmente y prefiere delegar el mando mientras él disfruta del boato de su corte versallesca; hasta que, tal vez el cansancio, o la inquietud que le causa el ver la generalización de una revuelta popular, lo inducen a escapar, simplemente a huir, a las cuatro de la mañana de un nueve de agosto con rumbo a Veracruz, y de ahí, otra vez a su finca de Turbaco.

19

El largo ocaso

El ya viejo don Antonio López de Santa Anna, pasa sus días leyendo las noticias que le llegan de México e inventando sus "memorias", pues no son sus recuerdos los que él consigna, sino la interpretación delirante de lo que le ha pasado en la vida. Se entera de todo lo que pasa en México, sabe que los federalistas han tomado el poder y dictado una nueva constitución, que el presidente Comonfort renuncia y marcha al destierro, siguiéndole en el poder Juan Álvarez y Benito Juárez, a quienes odia

El Presidente Benito Juárez es uno de los principales objetos del odio de Santa Anna.

profundamente, pues han confiscado los bienes que más amaba: Manga de Clavo, El Encero, Paso de Ovejas y otras haciendas. Los enconos políticos y las rebeliones siguen igual, como siempre; pero ahora ya nadie se acuerda de Su Alteza Serenísima ni para bien ni para mal.

Los conservadores y los liberales asumen la presidencia alternativamente y por cortos periodos. Los conservadores vuelven los ojos a Europa en busca de apoyo para establecer una monarquía y don Antonio ofrece sus servicios, pero nadie le responde. Finalmente Juan N. Almonte, su compañero en la prisión de Texas asume la regencia de México y Maximiliano de Habsburgo se convierte en emperador. Ya nadie puede impedirle el regreso a su patria.

El 27 de febrero de 1864, un paquebote inglés arriba a Veracruz, en él viajan don Antonio y su familia; se les permite desembarcar, pero a poco llegan las órdenes del general Bazaine y Su Alteza Serenísima es reembarcado, ahora en el vapor *Colbert*, y enviado a La Habana, de donde es expulsado un tiempo después, estableciéndose en

Maximiliano de Habsburgo.

La muerte de Santa Anna pareció más bien una huida, sin avisar ni dar indicios, murió a los ochenta y dos años de edad.

Nassau, donde le llega la noticia de la muerte de Benito Juárez, el 18 de junio de 1872. Entonces solicita al nuevo gobierno que se le permita regresar para morir en su tierra, lo que no se le concede sino hasta dos años después. El 27 de febrero de 1874 desembarca una vez más en Veracruz, pero ahora es un anciano encorvado, que tiene que apoyarse en su esposa para caminar. Hace dieciocho años que partió al destierro y ya no se le reconoce en Veracruz. Ahora ya no le queda el consuelo de su refugio de Manga de Clavo y se traslada en ferrocarril a México, donde ya no se le recibe con vítores ni arcos triunfales, solamente un pequeño grupo de antiguos partidarios ha llegado a darle la bienvenida. Lo único que le queda es la tranquilidad del anonimato y el silencio.

Su Alteza Serenísima, don Antonio López de Santa Anna, quien fuera once veces presidente de la República, fallece tranquilamente en su cama la noche del 20 al 21 de junio de 1876, a los ochenta y dos años de edad. Muere como ha vivido, sin consultar, sin pedir ayuda, sin enfermedad visible, sin vacilaciones. Muere sigilosamente, como si fuera otra de sus retiradas estratégicas. Mientras tanto, otro "hombre fuerte" se encuentra en su hacienda de La Noria, en Oaxaca, esperando pacientemente que llegue su momento.

TÍTULOS DE ESTA COLECCIÓN

Alejandro Magno
Beethoven
Buda
Conde Cagliostro
Confucio
Che Guevara
Cristóbal Colón
Dante
Ernest Hemingway
Gandhi
Hitler
Iturbide
Jesús
Joseph Fouché
Juan Diego
Juan XXIII
Julio César
Leonardo Da Vinci
Lucrecia Borgia
Mahoma
Marco Polo
Miguel Ángel
Mozart
Napoleón
Pancho Villa
Porfirio Díaz
Pitágoras
San Francisco de Asís
Santa Anna
Shakespeare

Esta obra se terminó de imprimir en
Litográfica Ingramex, S.A. de C.V.
Centeno 162-1
Col. Granjas Esmeralda
México, D.F.